D0488211

La soif de vivre

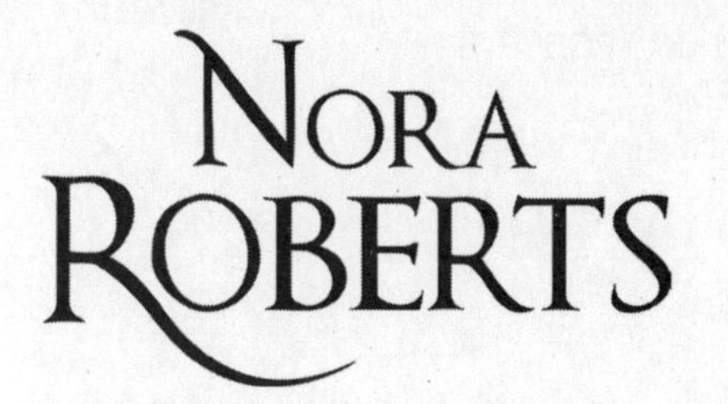

La soif de vivre

Collection : NORA ROBERTS

Titre original : THE FALL OF SHANE MACKADE

Traduction française de NELLIE D'ARVOR

Photos de couverture
Végétation : © GETTY IMAGES/FLICKR/ROYALTY FREE
Maison : © LOOK PHOTOGRAPHY/BEATEWORKS/CORBIS/ROYALTY FREE

Réalisation graphique couverture : L. SLAWIG (Harlequin SA)

83-85, boulevard Vincent-Auriol, 75646 PARIS CEDEX 13.
Service Lectrices — Tél. : 01 45 82 47 47
www.harlequin.fr
ISBN 978-2-2802-8491-2

Chapitre 1

Debout face à Regan, Shane l'écoutait, sans l'entendre, lui expliquer les raisons pour lesquelles elle avait besoin de lui. Un sourire béat jouait sur ses lèvres et il se laissait bercer par le sentiment de bien-être et de plénitude qui s'emparait de lui dès qu'il se trouvait en compagnie d'une jolie femme.

Bien sûr, Regan était à présent la légitime épouse de son frère Rafe, et il ne ressentait pour elle que le plus fraternel et le plus platonique des amours. Mais cela ne l'empêchait nullement de goûter à la beauté et au charme dont la nature l'avait dotée. Si un homme devait se mettre la corde au cou, c'était bien pour une femme comme elle, songeait-il avec envie, et l'on ne pouvait que féliciter Rafe de son choix.

Il adorait ses cheveux couleur de miel qui encadraient l'ovale parfait de son visage. Ce petit grain de beauté au coin de sa bouche le fascinait. La fermeté de son caractère et sa forte personnalité auraient pu faire pâlir d'envie bien des hommes. Sans parler du miracle qui lui permettait d'être en toute occasion aussi fraîche et élégante que sexy !

Impossible de s'en empêcher, Shane MacKade aimait les femmes. Il aimait leur apparence, leur parfum, leurs rires, leur tendresse. Petites ou grandes, minces ou fortes, jeunes ou plus âgées, il les aimait toutes, sans réserve ni restrictions. L'émouvante courbe d'un cil, le dessin d'une lèvre, une chute de reins avantageuse, suffisaient à le mettre en émoi.

Pour son bonheur, il ne s'était pas privé au cours de ses trente-deux années d'existence de montrer à autant de femmes qu'il l'avait pu combien il les aimait, en général et en particulier. Et comme la plupart d'entre elles le lui rendaient bien, il ne pouvait que s'estimer le plus heureux des hommes.

— Shane ? s'inquiéta Regan. Tu m'écoutes ? Tu es sûr que cela ne te dérange pas ?

— Quoi donc ?

La voyant froncer les sourcils et rajuster sur son bras le dernier en date des bébés MacKade, Shane se récria :

— Ah oui, l'aéroport ? Excuse-moi. J'étais en train d'admirer à quel point tu es jolie aujourd'hui.

Regan ne put s'empêcher de rire. Elle avait dû se relever trois fois la nuit précédente pour allaiter, et de larges cernes soulignaient ses yeux ; Jason, son dernier-né, ne cessait de pleurer sur son bras, et ses cheveux étaient en bataille.

— Arrête de me taquiner ! protesta-t-elle. Avec la tête que je dois avoir…

— Pas du tout, assura-t-il. Tu es aussi jolie que d'habitude.

Pour lui donner un peu de répit, Shane prit Jason dans ses bras. A force de chatouilles, il réussit à faire sourire ce bébé de trois semaines qui semblait dans la vie n'aimer que deux choses : téter et pleurer. Un peu inquiète, Regan se retourna pour vérifier que son aîné était toujours endormi dans l'arrière-boutique de son magasin d'antiquités et sourit en l'apercevant allongé de tout son long sur un sofa. De jour en jour, la ressemblance avec son père devenait plus frappante.

— Merci du compliment, dit-elle en se retournant vers Shane. J'en ai bien besoin par les temps qui courent. Mais pour en revenir à nos moutons, je suis vraiment désolée de devoir te déranger dans ton travail.

Résigné à boire la tasse de thé qu'elle était en train de lui préparer, Shane poussa un soupir.

— Aucun problème, assura-t-il. Je te promets d'aller attendre ton amie de fac à sa descente d'avion et de te l'amener ici saine et sauve. Une scientifique, c'est cela ?

Regan lui tendit sa tasse.

— Et brillante en plus, ajouta-t-elle. Nous avons partagé la même chambre pendant une année d'université. Elle n'avait que dix-neuf ans, et elle terminait déjà ses études. Elle a fini diplômée avec les félicitations du jury, une année avant moi et les autres.

Dans les bras de Shane, Jason gazouillait tranquillement. Regan profita de cet instant de répit pour déguster son thé à petites gorgées et s'immerger dans ses souvenirs.

— Rebecca était aussi timide qu'intimidante, poursuivit-elle. Elle n'était pas d'un abord très facile. Toujours à mener des recherches dans un labo ou à plonger le nez dans un livre à la bibliothèque.

Shane fit une grimace comique.

— Un vrai boute-en-train, ton amie, dis-moi !

Regan se mit à rire gaiement.

— Tu m'as bien comprise. Elle était — et elle est sans doute restée — du genre plutôt sérieux. Je l'avais invitée à notre mariage, mais elle se trouvait alors en mission en Europe, ou en Afrique, je ne sais plus…

— En tout cas, conclut Shane, c'est gentil de sa part de venir de New York rien que pour te rendre visite.

— Elle ne vient pas que pour cela, répondit-elle. Elle souhaite mener ici une recherche personnelle. Mais je ne t'en dis pas plus. Au retour, vous aurez tout le temps d'en parler dans la voiture.

Voyant le bébé sourire aux anges et commencer à battre des paupières, Shane reposa sa tasse à peine entamée et entreprit de le bercer doucement. Songeuse, Regan le regarda faire.

Ce qui frappait tout d'abord chez lui, c'était son allure et la séduction qu'il ne pouvait manquer d'exercer aux yeux d'une femme. Sa bouche sensuelle, les fossettes qui l'encadraient, ses yeux verts et rieurs, conféraient à son visage une douceur juvénile que démentait son corps d'athlète — larges épaules, hanches étroites, jambes interminables et musclées.

Des quatre frères, Shane était à son avis celui qui avait le plus de charme. Un charme indéfinissable, qui tenait sans doute beaucoup à la manière qu'il avait de poser les yeux sur chaque femme — qu'elle ait huit ou quatre-vingt-huit ans — comme si elle était unique et irremplaçable.

En fait, réalisa-t-elle soudain, Shane avait tout pour effrayer la discrète et timide Rebecca, mais il était à présent trop tard pour s'en inquiéter.

— On dirait que tu as fait cela toute ta vie, chuchota-t-elle en voyant Jason sur le point de s'endormir.

— Occupe-toi de faire des bébés, répondit-il à mi-voix, moi je me charge de les aimer…

— Et toi ? demanda Regan, facétieuse. Tu n'es toujours pas décidé à t'y mettre ?

— Moi !

Shane redressa la tête, les yeux pétillant de malice.

— Tu oublies que je suis à ce jour le dernier MacKade célibataire, souffla-t-il. Et jusqu'à ce que mes neveux puissent reprendre le flambeau, il est de mon devoir d'entretenir notre réputation auprès de la gent féminine.

— Et comme tu es un homme d'honneur, renchérit Regan, tu prends ton devoir très au sérieux…

— Comment faire autrement ?

Puis, se penchant pour déposer un baiser léger sur le front du bébé endormi :

— Je crois qu'il dort. Veux-tu que je le mette au lit ?

— Oui, merci…

Pendant que Shane pénétrait dans l'arrière-boutique pour déposer Jason dans son couffin et embrasser Nate dans son sommeil, Regan s'efforça de remettre un peu d'ordre dans ses cheveux et dans sa tenue. Lorsqu'il fut de retour, c'est par un nouveau sourire d'excuse qu'elle l'accueillit.

— La baby-sitter s'est décommandée au dernier moment, expliqua-t-elle. Rafe reste à Hagerstown toute la journée pour réceptionner des matériaux de construction. Cassie a sur les bras une Résidence remplie de pensionnaires, quant à Savannah…

— La dernière fois que je l'ai vue, l'interrompit Shane, elle semblait sur le point d'exploser…

Pour bien se faire comprendre, il fit avec les mains le geste de caresser le ventre énorme qu'il n'avait pas.

— C'est tout à fait ça, approuva Regan en riant. Enceinte comme elle l'est, il est hors de question de lui infliger deux heures de route aller-retour. Comme je suis bloquée toute la journée à la boutique, il n'y avait que toi qui pouvais me rendre ce service.

— Et tu as bien fait de me le demander !

Pour le lui prouver, Shane se pencha et déposa un rapide baiser sur le bout de son nez. Puis, saisi par une brusque illumination, il ajouta :

— Comment reconnaîtrai-je ton amie ? Tu ne m'as pas dit à quoi elle ressemblait…

— Où avais-je la tête ! s'exclama Regan en se frappant le front du plat de la main. Elle ne sera sans doute pas la seule femme à descendre de cet avion…

Pour rassembler ses idées et évoquer mentalement le souvenir de son amie, Regan ferma les yeux.

— Dr Rebecca Knight, lui dit-elle. Si tu ne la trouves pas, tu peux toujours la faire appeler. Elle a quatre ans de moins que moi, cheveux châtain foncé, yeux marron. La dernière fois que je l'ai vue — cela doit remonter à cinq ans —, ses cheveux étaient mi-longs, raides, simplement passés derrière les oreilles. Elle doit avoir à peu près ma taille, elle est mince…

— Mince ou maigre ? intervint Shane. Ce n'est pas la même chose.

— Alors disons plutôt maigre… Elle portera sans doute des lunettes. Elle ne les utilise normalement que pour lire, mais elle oublie la plupart du temps de les retirer.

— Je vois, dit-il en se dirigeant vers la sortie. Je dois trouver une grande maigre à lunettes, un peu tête en l'air, aux cheveux foncés et aux yeux marron. C'est comme si c'était fait…

Alors qu'il ouvrait la porte, déclenchant la sonnerie du carillon, Regan l'interpella :

— Shane !

— Oui ?

En quelques pas, elle le rejoignit sur le pas de la porte.

— J'ai oublié de te dire que Rebecca était très, très timide. Alors sois gentil avec elle…

Un sourire angélique, peu de nature à la rassurer, passa sur les lèvres de Shane.

— Tu sais bien que je suis toujours gentil avec les femmes, murmura-t-il en s'inclinant pour lui faire le baisemain.

Debout près de la porte de débarquement du vol en provenance de New York, Shane observait avec intérêt les silhouettes avantageuses de deux hôtesses en pleine discussion. Les passagers allaient débarquer d'une minute à l'autre, mais il savait qu'il n'aurait aucun mal à repérer l'invitée de Regan. Après tout, il s'agissait d'une femme et, pour un expert comme lui, la reconnaître ne serait qu'une simple formalité.

La description que Regan lui avait faite de son amie était très vague. Il savait juste qu'elle était plutôt du genre intellectuel, ce qui dans son esprit signifiait qu'elle ne devait pas être une reine de beauté. Il l'imaginait avec des chaussures à talons plats, des vêtements plus confortables qu'élégants, un attaché-case volumineux et des lunettes avec des verres épais comme des tessons de bouteille. Voyant le flot des voyageurs pressés se déverser dans le hall, Shane quitta à regret ses deux hôtesses de l'air pour se concentrer sur sa mission.

En tête venait l'habituel cortège des costumes trois-pièces, la mine sombre et l'air harassé. Shane les regarda passer en hochant la tête d'un air désolé. Il repéra ensuite une belle blonde en pantalon rouge, qui lui adressa un sourire engageant auquel il s'empressa de répondre. S'immergeant avec délices dans les effluves du parfum capiteux qu'elle laissait derrière elle, il laissa ses yeux s'attarder quelques instants sur le visage d'une brune très mignonne, dont les grands yeux dorés lui rappelèrent le collier de perles d'ambre que sa mère portait autrefois, lors des grandes occasions.

Derrière un couple d'amoureux et une grand-mère débordée par trois petits-enfants turbulents, il aperçut une jeune femme maigre aux épaules voûtées, qui semblait correspondre en tout point à celle qu'il attendait. Ses cheveux châtains étaient rassemblés en un chignon à moitié défait, elle portait un volumineux attaché-case et clignait des yeux derrière ses grosses lunettes comme si elle cherchait quelqu'un.

— Hello ! lança-t-il gaiement, en la gratifiant de son sourire le plus engageant. Comment ça va ?

Sans attendre de réponse, il se pencha pour lui prendre l'attaché-case des mains. Figée sur place, elle le regarda faire en roulant des yeux effarés. Puis elle tira nerveusement la mallette vers elle et la serra contre sa maigre poitrine en un geste futile de protection.

— Je m'appelle Shane, reprit-il sans se formaliser. Regan a eu un empêchement. Elle m'a demandé de venir vous chercher. Comment s'est passé le voyage ?

— Laissez-moi tranquille ! balbutia la jeune femme. Sinon, j'appelle à l'aide…

— Du calme, Becky.

Il tendit la main vers elle pour la rassurer, mais, à sa grande surprise, elle poussa un petit cri, comme un couinement de souris, et recula vivement en le menaçant de son attaché-case levé devant elle. Avant d'avoir pu décider s'il devait rire ou se fâcher, Shane sentit une main légère se poser sur son avant-bras.

— Excusez-moi…

La jolie brunette aux yeux dorés se tenait près de lui, l'examinant de pied en cap avec le plus grand sérieux.

— J'ai l'impression que c'est moi que vous cherchez, dit-elle d'un ton détaché.

Ses lèvres, pleines et sensuelles, s'étirèrent en un sourire facétieux.

— Vous êtes bien Shane, n'est-ce pas ? Shane MacKade ?

Comprenant sa méprise, Shane se retourna vivement pour s'excuser auprès de l'inconnue. Mais celle-ci s'était déjà éclipsée, telle une brebis fuyant à toutes jambes un loup affamé.

— Si vous voulez mon avis, commenta Rebecca en la suivant du regard, elle va mettre quelque temps à s'en remettre.

Elle-même savait de quoi elle parlait, car elle devait sans cesse lutter contre sa timidité maladive. Bien décidée cette fois à ne pas se laisser impressionner, elle tendit la main à Shane.

— Rebecca Knight, dit-elle en s'efforçant de soutenir sans ciller son regard inquisiteur.

Shane ne dit rien et lui rendit sa poignée de main sans cesser de l'observer. A vrai dire, l'amie de Regan ne correspondait pas tout à fait à l'image qu'il s'en était faite, mais elle avait néanmoins l'air d'une intellectuelle.

Elle portait un tailleur-pantalon noir aux formes amples qui ne laissait rien deviner de sa silhouette. Ses cheveux étaient courts. Trop courts au goût de Shane… Ce qui ne l'empêchait pas de reconnaître que cette coiffure à la garçonne adoucissait son visage triangulaire aux pommettes saillantes.

Lâchant à regret la longue main fine et tiède qu'elle avait glissée dans la sienne, il lui adressa un sourire d'excuse.

— Regan m'avait dit que vous aviez les yeux marron, expliqua-t-il. C'est complètement faux !

— Vous trouvez ? dit-elle d'un ton étonné. C'est pourtant ce qui est inscrit sur mon permis de conduire. Mais dites-moi, est-ce que Regan va bien ?

— Très bien. Elle est simplement retenue à la boutique. Des obligations professionnelles… Laissez-moi donc prendre ceci.

Shane tendit la main vers le sac de voyage qu'elle portait sur l'épaule.

— Inutile, dit-elle en secouant la tête. Je peux m'en charger.

Sans s'attarder davantage, il lui saisit l'avant-bras pour l'entraîner d'un bon pas vers la sortie. Rebecca remarqua qu'il avait une poigne solide et une propension certaine à rechercher le contact physique… Dieu merci, elle était désormais de taille à affronter ce genre de situation sans perdre ses moyens !

— Ainsi, lança-t-elle pour briser le silence gêné qui s'était installé entre eux, c'est vous le fermier ?

— Exactement ! J'ai donc tant que cela l'air d'un paysan ?

— Ce n'est pas ce que je voulais dire. Dans ses

lettres, Regan m'a tellement vanté les mérites de ses beaux-frères que je vous ai reconnu du premier coup.

— Trop aimable, vraiment ! Mais vous, vous n'avez pas l'air d'une scientifique…

— Ah oui ?

Le visage fermé, Rebecca le toisa d'un de ces regards condescendants qu'elle s'était longuement exercée à lancer à son miroir.

— Ce n'est pas le cas de la jeune femme que vous avez terrorisée tout à l'heure, j'imagine…

Surpris de la voir réagir ainsi, Shane eut un sourire contrit.

— Au temps pour moi, s'excusa-t-il. Je me suis fié aux lunettes et aux chaussures…

— Je vois…

Alors qu'ils descendaient l'Escalator menant au carrousel à bagages, Rebecca se retourna pour examiner Shane de la tête aux pieds. Il était vêtu d'une ample chemise à carreaux ouverte sur un T-shirt blanc, d'un jean délavé complètement râpé et de grosses chaussures de cuir jaune. Quelques mèches brunes s'échappaient de sa casquette de base-ball. Il avait de grandes mains calleuses et un visage avenant et bronzé au sourire charmeur.

— Vous, en tout cas, dit-elle en se retournant pour sortir de l'Escalator, vous avez bien l'air de ce que vous êtes… Dans combien de temps serons-nous à Antietam ?

— Une heure à peu près, marmonna Shane, en se demandant s'il devait se sentir flatté ou offensé par sa remarque. Allons chercher vos bagages !

— Inutile. On me les expédiera plus tard. J'ai tout ce qu'il me faut pour l'instant dans ce sac.

De nouveau, elle posa sur Shane ce regard supérieur qu'il commençait à trouver parfaitement exaspérant. Depuis qu'il l'avait rencontrée, il avait la désagréable impression d'être un cobaye dans un laboratoire.

— Dans ce cas, grogna-t-il, allons-y !

Une fois dehors, elle sortit des lunettes de soleil de son sac de voyage et les mit avant de s'engager sur le parking. Shane n'était pas fâché qu'elle cesse enfin de le détailler de la tête aux pieds. Il était habitué, certes, à voir le regard des femmes s'attarder sur lui, mais pas de cette manière…

Lorsqu'ils parvinrent à la camionnette, il déverrouilla la portière côté passager et la maintint ouverte quelques instants en attendant que Rebecca s'installe. Mais, au lieu de monter tout de suite dans la voiture, elle s'arrêta en face de lui et, baissant la tête pour l'observer par-dessus ses lunettes, lança avec légèreté :

— Au fait… Au risque de vous décevoir, monsieur le joli cœur, sachez que personne, de toute mon existence, ne m'a jamais appelée « Becky » !

Bercée par le ronron du moteur, Rebecca appréciait le voyage. Le beau-frère de Regan conduisait bien, et la camionnette semblait glisser comme dans un rêve au milieu d'un paysage enchanteur. Des petites routes de campagne serpentaient vers des collines émaillées de fermes, de pâtures et de forêts. Dans ce cadre étonnamment vert en cette fin d'été caniculaire s'ébattaient des chevaux nerveux ou des bovins apathiques, à la recherche d'un coin d'ombre où s'affaler.

Mais il n'y avait pas que le charme bucolique de

l'endroit pour la mettre en joie. Elle n'était pas mécontente d'avoir su gentiment remettre en place Shane MacKade. Parvenir à tenir tête à un homme aussi séduisant et aussi sûr de lui n'était pas pour elle un mince exploit. Après avoir passé la majeure partie de son existence à souffrir d'une timidité maladive, elle avait décidé quelques mois auparavant de se prendre en main et de devenir son propre sujet d'expérience. Manifestement, la discipline de fer à laquelle elle s'était astreinte commençait à porter ses fruits.

Son chauffeur cependant semblait ne pas lui en tenir rigueur. Poliment, il avait baissé le volume de l'autoradio et faisait le nécessaire pour entretenir la conversation. L'habitacle de la cabine était propre, à l'exception de quelques longs poils jaunes sur la banquette et de l'odeur de chien qui allait avec. Quelques notes griffonnées étaient accrochées au tableau de bord et une poignée de menue monnaie traînait dans le vide-poches. Mais, dans l'ensemble, la camionnette de Shane MacKade était nette et bien rangée. Sans doute était-ce la raison pour laquelle Rebecca avait tout de suite repéré la boucle d'oreille en or qui dépassait de sous le tapis de sol.

— C'est à vous ? demanda-t-elle en se penchant pour la prendre.

Shane identifia le bijou, et se souvint de la dernière fois où il avait eu l'occasion de le voir porté par Frannie Spader… un jour où ils étaient allés faire un petit tour en voiture.

— Non, répondit-il en tendant la main pour le récupérer. C'est à une amie.

Lorsque Rebecca lui eut rendu l'anneau, il le laissa négligemment tomber dans le vide-poches.

— Prenez-en soin, conseilla-t-elle. C'est au moins du dix-huit carats. Votre amie sera sans doute heureuse de la retrouver.

Puis, sans transition, elle ajouta :

— Ainsi, vous êtes quatre garçons dans la famille…

— Exact. Avez-vous des frères et sœurs, vous-même ?

— Non. Et pourquoi est-ce que c'est vous qui vous occupez de la ferme ?

Shane haussa brièvement les épaules.

— Les choses se sont organisées ainsi d'elles-mêmes. Jared dirige un cabinet d'avocats réputé à Hagerstown. Rafe déteste l'agriculture et s'est fait un nom dans la restauration des vieilles maisons. Quant à Devin, il semblait être né pour être le shérif d'Antietam…

— Et vous, pour être l'agriculteur de la famille, conclut-elle à sa place. Qu'est-ce que vous produisez ?

— Nous avons un beau troupeau de vaches laitières, un poulailler, quelques cochons. Nous cultivons du blé, du foin pour le bétail, de la luzerne.

La voyant boire la moindre de ses paroles avec un réel intérêt, Shane ajouta pour faire bonne mesure :

— Je bichonne aussi un beau carré de pommes de terre et je cuis mon pain moi-même.

— Vraiment ! Cela doit représenter beaucoup de travail pour un homme seul.

— Mes frères sont là pour m'aider quand j'ai besoin d'eux. Il m'arrive de prendre en stage des étudiants de l'école d'agriculture. Et j'ai deux neveux de onze ans qui se laissent encore convaincre que les travaux de la ferme peuvent être un jeu.

Rebecca tambourinait inconsciemment du bout des

doigts sur son genou au rythme de la musique que diffusaient en sourdine les haut-parleurs.

— Pourquoi dites-vous cela ? s'étonna-t-elle. Ce n'en est pas un ?

— C'en est un pour moi, répondit Shane. Mais pas pour la plupart des gens. Vous avez déjà mis les pieds à la campagne ?

Sur son genou, les doigts de Rebecca s'immobilisèrent tout à coup.

— Pas vraiment, non. J'ai toujours été plutôt citadine…

— Dans ce cas, murmura Shane avec un sourire, Antietam va vous sembler bien terne… Comme jungle urbaine, on fait mieux !

— C'est ce que m'a expliqué Regan dans ses lettres. Mais, bien sûr, j'avais déjà eu l'occasion d'étudier le pays au cours de mes études.

— Dans quel domaine, ces études ?

— Histoire et psychiatrie, principalement. Mais j'ai également mené quelques recherches en mathématiques, sciences naturelles, physique, chimie…

— Drôle de mélange…

— Pas tant que ça. Plus on étudie les mystères de la nature et ceux de l'âme humaine, plus on comprend à quel point tout est lié…

Durant les quelques minutes qui suivirent, Shane s'absorba dans un silence songeur. Il aimait les femmes intelligentes autant que celles qui l'étaient moins et ne nourrissait aucun complexe quant à ses propres capacités intellectuelles. Pourtant, il ne pouvait s'empêcher d'être intimidé par une femme qui avait réussi en si peu d'années à devenir un tel puits de science.

— Dites-moi, demanda finalement Rebecca. Quel

effet cela fait-il d'avoir grandi sur l'un des principaux champs de bataille de la guerre de Sécession ?

Un peu surpris par la question, Shane l'observa quelques instants du coin de l'œil. Où diable voulait-elle en venir ?

— Rafe serait plus éloquent que moi sur le sujet, dit-il avec un haussement d'épaules. A mes yeux, la valeur des terres tient bien plus à leur fertilité qu'à leur intérêt historique.

— L'histoire ne vous intéresse pas ?

— Pas particulièrement, non.

A petite vitesse, la camionnette s'engagea sur le pont qui enjambe le Potomac, marquant la frontière entre la Virginie et le Maryland.

— Je la connais, ajouta-t-il. On ne peut avoir vécu ici toute sa vie et l'ignorer. Mais je n'y prête guère attention.

— Et les fantômes ?

Shane dut faire un effort pour ne pas sursauter.

— Je n'y prête guère attention non plus.

L'ombre d'un sourire passa sur les lèvres de Rebecca. Avec intérêt, elle nota que le sujet semblait plonger Shane MacKade dans une grande nervosité. Depuis qu'elle l'avait abordé, il ne cessait de s'agiter sur son siège.

— Pourtant, renchérit-elle, vous ne pouvez les ignorer…

— Ils font partie du folklore local, dit-il d'une voix soigneusement contrôlée. Comme le champ de bataille. Les autres membres de la famille pourront vous en dire plus. Ils sont plus portés que moi sur le sujet…

— C'est pourtant vous qui vivez dans une ferme réputée hantée, insista-t-elle.

— Et c'est vous qui êtes une scientifique, s'impatienta-t-il. Vous ne pouvez tout de même pas croire à de telles sornettes !

— Bien des vérités scientifiques n'étaient au début que ce que vous appelez des sornettes, répondit Rebecca sans s'énerver. Je m'intéresse à la parapsychologie, une sorte de hobby, si vous voulez. C'est dans le but d'enregistrer et d'étudier les phénomènes paranormaux liés à la bataille d'Antietam que je suis ici.

Incapable de décider s'il devait se mettre à rire ou à grincer des dents, Shane préféra se cantonner dans un silence prudent. A présent, il comprenait mieux pourquoi Regan ne lui avait pas expliqué les raisons de la visite de son amie. Connaissant l'aversion qu'il nourrissait à l'égard des légendes locales, sa belle-sœur avait sans doute jugé plus prudent de s'en abstenir…

— Dans ce cas, reprit-il au bout de quelques instants, il vous faut absolument visiter la vieille maison Barlow, que Regan et Rafe ont restaurée. Elle est, paraît-il, truffée de fantômes — puisque vous semblez croire à ce genre de choses.

Sans se départir de son sourire, Rebecca hocha longuement la tête.

— Elle est sur ma liste, dit-elle. Et je compte bien y passer quelques jours. Mais d'après ce que Regan m'a écrit, vous ne manquez vous-même pas de place à la ferme MacKade. Si vous n'y voyez pas d'inconvénient, j'aimerais beaucoup y loger quelque temps…

Shane, qui n'avait rien à redire contre une aussi charmante compagnie mais qui ne pouvait approuver les raisons de sa visite, préféra changer de sujet.

— Combien de temps comptez-vous rester ?

— Cela dépendra, répondit évasivement Rebecca.

— De quoi ? insista Shane.

— Du temps que je mettrai à trouver ce que je suis venue chercher et à recueillir suffisamment d'éléments pour étayer mes recherches.

— Vous n'avez pas… un job, quelque part, qui vous attend ?

— J'ai tout mon temps et j'ai bien l'intention d'en profiter. Je viens de prendre une année de congé sabbatique…

Ce mot ouvrait la porte à tant de possibilités et résonnait avec une telle douceur à ses oreilles que Rebecca ferma les yeux un instant pour en savourer toutes les richesses. Lorsqu'elle les rouvrit, l'éclat doré de la boucle d'oreille dans le vide-poches attira son regard.

— Si cela peut vous rassurer, dit-elle avec un sourire entendu, je me ferai aussi discrète que possible. Un petit coin dans votre grenier me conviendra tout à fait. Je pourrai vaquer à mes occupations et vous aux vôtres sans que nous nous gênions l'un l'autre.

Cette fois, Shane s'apprêtait à tenter de la dissuader d'un tel projet lorsqu'il la vit se redresser brusquement sur son siège. Le nez collé au pare-brise, les yeux écarquillés, elle poussa un petit cri étranglé. Levant le pied pour se garer sur le bas-côté, il se tourna vers elle et l'observa d'un air soucieux.

— Que se passe-t-il ?

Rebecca secoua la tête sans rien dire. Elle venait d'avoir une troublante impression de déjà-vu en posant les yeux sur le paysage. Les collines vertes, couvertes d'une herbe grasse émaillée de rochers argentés… Les hautes montagnes, à l'horizon, comme des silhouettes pourpres dans un lointain brumeux… Les étendues de blé mur, aux épis lourds agités par le vent, de part et d'autre de la route… Et, en bas de la colline, un troupeau de vaches blanc et noir qui broutaient avec une sorte de lenteur affairée, dans un pré bordé de bois, noirs et touffus.

— C'est tellement beau, parvint-elle à murmurer.

— Merci ! lança Shane en se pavanant derrière son volant. Vous avez sous les yeux la terre des MacKade. Depuis cinq générations. On ne peut pas voir les bâtiments à cette époque-ci de l'année, à cause des arbres qui les masquent. Mais c'est en bas, au bout de ce chemin que vous voyez là…

Une nouvelle fois, Rebecca ne put que hocher la tête en silence. Elle n'aurait su dire comment cela était possible, mais elle était certaine d'avoir su, avant même qu'il le précise, qu'au bout de cette route empierrée, derrière ce rideau d'arbres élancés, se trouvait la ferme MacKade. Que son légitime propriétaire fût prêt à l'entendre ou pas, elle ne pouvait lutter contre la troublante sensation d'être enfin de retour chez elle. Et elle était fermement décidée à n'en repartir qu'après avoir trouvé les réponses aux questions qui la hantaient…

Chapitre 2

Sans laisser à Shane le temps d'achever sa manœuvre pour se garer devant le magasin d'antiquités, Regan se rua sur le trottoir, un enfant sur chaque bras.

— Docteur Knight ! s'exclama-t-elle.

Les yeux pleins de larmes, Rebecca s'empressa de se glisser hors de l'habitacle et laissa éclater sa joie.

— Madame MacKade !

Témoin des effusions des deux femmes, Shane nota avec un sourire amusé qu'il ne restait plus rien de la distance hautaine de Rebecca Knight. Au milieu du trottoir, Regan et elle s'embrassaient follement, sans cesser de rire et de balbutier de bonheur. Malgré les réserves qu'il nourrissait à son sujet, il devait reconnaître pourtant que l'affection qu'elle portait à son amie semblait vraiment sincère.

— Oh ! Comme tu m'as manqué, dit Rebecca en la dévorant des yeux. Tu es encore plus belle qu'autrefois... Et regardez-moi ces deux beaux bébés !

Incapable de retenir ses larmes plus longtemps, Rebecca les laissa déborder de ses paupières. Du temps de leur jeunesse, elle s'était toujours sentie très libre et spontanée en présence de Regan. Le temps, manifestement, n'y avait rien changé.

Souriant à Nate à travers ses larmes, elle lui caressa

doucement la joue, un peu intimidée par ce bel enfant qui la dévisageait de ses grands yeux verts.

— Tu dois ressembler beaucoup à ton papa, dit-elle, ravie de voir le fils de Regan se pencher vers elle pour déposer un baiser sur sa joue.

— Papa ! approuva-t-il gravement.

Puis, voyant Shane les rejoindre après avoir déposé dans le magasin le sac de Rebecca, il se tortilla vigoureusement pour descendre des bras de sa mère et sauter dans ceux de son oncle.

— Shane ! Shane ! cria-t-il, tout excité. Fais le cheval !

Soulevant sans effort son neveu pour le déposer à califourchon sur ses épaules, Shane se fit un plaisir de lui donner satisfaction, à la grande joie du bambin qui se mit à rire aux éclats, les doigts agrippés à ses cheveux.

— Vous n'avez pas eu de mal à vous trouver ? s'inquiéta Regan. J'aurais tant aimé aller te chercher moi-même…

— Ne t'inquiète pas, assura Rebecca. Ton charmant beau-frère s'est parfaitement débrouillé…

— Tu dois être épuisée, reprit Regan. Rentrons, je vais te faire un peu de thé. Shane, tu en prendras également ?

— Désolé, dit-il en se penchant pour déposer son neveu sur le sol. Je dois rentrer.

Après avoir pris la main de son fils pour prévenir toute tentative de fuite de sa part, Regan se haussa sur la pointe des pieds et déposa un baiser léger sur le front de Shane.

— Merci de ton aide, dit-elle. Lorsque Rebecca se

sera remise de son voyage, je voudrais lui offrir un dîner de bienvenue, avec toute la famille. Tu peux venir demain soir à la maison ?

— Avec plaisir !

Pivotant vers Rebecca, il s'inclina cérémonieusement.

— Ravi d'avoir fait votre connaissance, Becky…

— Merci de vous être dérangé, joli cœur…

Les sourcils froncés, Regan le regarda s'installer derrière son volant.

— Becky ? s'étonna-t-elle à mi-voix.

— Juste une petite plaisanterie entre nous, expliqua négligemment Rebecca.

Dévorée par la curiosité, elle tourna ses regards d'un côté et de l'autre de la rue principale d'Antietam, où Regan avait choisi d'installer sa boutique d'antiquaire. En cette heure de pointe, le trafic était plutôt maigre sur la chaussée. Sur les trottoirs ombragés, de rares passants déambulaient, prenant tout leur temps pour se saluer et échanger quelques paroles.

— J'avoue que je me suis toujours demandé ce qui avait bien pu t'attirer dans une si petite ville, confia-t-elle à son amie.

— Je m'y suis sentie chez moi dès mon arrivée, répondit Regan. Viens, je vais te montrer mon royaume…

Dès l'instant où elle eut passé le seuil, Rebecca comprit qu'avec ce magasin qui lui ressemblait tant son amie avait réalisé son rêve de jeunesse. Installés dans la grande pièce tout en longueur, les meubles de style patinés par les ans attendaient leur acquéreur, mis en valeur par un savant désordre de vieilles lampes, de bibelots et de statues.

Sans cesser d'admirer les merveilles qu'elle découvrait en chemin, Rebecca suivit Regan jusqu'à une arrière-boutique où cette dernière déposa son plus jeune fils endormi dans un transat, et l'aîné sur une chaise haute où il se mit à grignoter tranquillement un cookie. Puis, profitant de cet intermède, elle l'entraîna jusqu'à un sofa où elles s'assirent serrées l'une contre l'autre, comme deux petites filles heureuses de se retrouver et souhaitant ne plus jamais se quitter.

— Tu ne me croiras peut-être pas, murmura enfin Regan sans cesser de la dévisager, mais je dois dire que j'aurais eu du mal à te reconnaître si j'étais venue te chercher…

Fièrement, Rebecca se redressa et remit sa chevelure en place du plat de la main.

— Ça te plaît ? demanda-t-elle d'un air mutin. Je me suis décidée à ce changement lorsque j'étais encore en Europe, il y a quelques mois. Tu te rappelles ? Tu ne cessais de me harceler pour que je fasse quelque chose de mes cheveux quand nous étions étudiantes…

— Lorsque tu te décides, reconnut Regan en hochant pensivement la tête, on peut dire que tu ne fais pas les choses à moitié. Et où as-tu…

— Trouvé ces vêtements ? compléta Rebecca, devançant sa pensée. A Paris, sur les Champs-Elysées. C'est là que s'est déclenchée ma petite révolution culturelle… Je déambulais sur l'avenue, perdue dans les données d'un problème insoluble, lorsque le reflet d'une femme dans une vitrine a attiré mon attention. La pauvre avait tout d'un épouvantail déplumé. Ses cheveux emmêlés pendaient sans grâce de chaque côté d'un visage à la mine renfrognée. Quant aux vêtements chiffonnés qu'elle portait, mieux valait ne pas trop s'y attarder.

Je me suis dit qu'il fallait vraiment être bien malheureuse pour oser arpenter les trottoirs de la ville la plus élégante de la planète dans un tel accoutrement. C'est à ce moment-là que je me suis aperçue que cette femme n'était autre que moi...

— Tu es trop dure avec toi-même ! protesta Regan.

— Si peu... Sans me laisser le temps de réfléchir, d'hésiter, je me suis précipitée dans le salon de beauté le plus proche et me suis livrée aux mains d'une esthéticienne. Deux heures plus tard, je ressortais métamorphosée et munie de quelques centaines de dollars de produits de beauté... Jamais je n'aurais imaginé qu'une simple coupe de cheveux puisse changer tant de choses. Jusqu'alors, tout cela me paraissait tellement futile, dérisoire. Mais en fait, je n'ai pas tardé à comprendre que ce n'est pas que le regard des autres qui change : c'est aussi celui que l'on porte sur soi.

Savourant bien des mois plus tard cet instant décisif comme s'il venait de se produire, Rebecca émit un petit rire joyeux.

— J'en ai conclu que si l'habit ne faisait pas le moine, il y contribuait, conclut-elle. Et que l'on avait tout à gagner à se présenter aux autres sous son meilleur jour.

Emue de la retrouver si bien dans sa tête et dans sa peau, Regan prit affectueusement dans les siennes les mains de son amie.

— Si tu savais comme je suis heureuse de te retrouver, murmura-t-elle.

— Tu es ma seule amie, reprit Rebecca sans hésiter. Il y a tellement longtemps que je voulais te le dire... Alors que je n'étais qu'un petit prodige malheureux que les autres observaient de loin avec curiosité ou commisération, tu as été la première à me tendre la main et à me traiter en être humain.

— Rebecca…

D'un doigt posé sur ses lèvres, Rebecca l'incita au silence. Sous les yeux de Nate, intrigué par ce spectacle, elles tombèrent dans les bras l'une de l'autre, laissant libre cours à leurs larmes de joie.

Quand elle vit la vieille maison en pierre de taille des MacKade, Rebecca trouva qu'elle était à l'image de ses propriétaires. De Rafe, elle avait le charme masculin un peu rude, et de Regan, l'élégance et la grâce féminine.

De même, au premier regard, elle aurait sans hésiter reconnu en Rafe le frère de Shane, si grande et si troublante était la ressemblance entre eux. Aussi ne fut-elle pas étonnée de le voir l'accueillir d'une franche et vigoureuse accolade. Manifestement, dans la famille MacKade, on aimait le contact autant que la gent féminine…

— Voilà quinze jours que Regan ne cesse de s'agiter dans tous les sens en prévision de votre visite, lui dit-il d'un ton enjoué en l'introduisant dans le salon.

— C'est faux ! s'insurgea l'intéressée.

— C'est vrai ! rétorqua Rafe en prenant place sur l'accoudoir du divan où elles venaient de s'installer toutes deux. Tous les meubles ont été briqués au moins deux fois, et le moindre poil de chien a été traqué à travers toute la maison à grands coups d'aspirateur.

— La plupart des poils de chien, corrigea Regan d'un air sévère.

Amusée par cette joute affectueuse, Rebecca sourit et

posa les yeux sur le jeune chien d'arrêt au pelage doré allongé de tout son long, devant le feu de cheminée. Non loin de lui, sur le tapis, le petit Nate empilait avec un soin maniaque et une extrême concentration des cubes de bois colorés. La scène évoquait un bonheur tranquille qui lui fit chaud au cœur.

Mais bientôt, avec une soudaineté et une violence qui la firent sursauter, le bambin fit table rase de sa construction d'un grand geste du bras.

— Tout à fait son père, dit Regan avec un sourire rassurant. Si ce n'est pas construit dans les normes, on rase tout et on recommence !

— Papa ! lança Nate avec autorité. Viens jouer avec moi !

— Tout est dans les fondations, expliqua celui-ci en s'allongeant souplement à ses côtés.

De ses larges mains de maçon, aussitôt rejointes par les menottes potelées de son fils, Rafe entreprit de le lui démontrer.

— Regan m'a expliqué que vous souhaitiez étudier la vieille maison Barlow de plus près ? reprit-il tout en jouant avec son fils.

Sans cesser d'admirer le château de cubes qui prenait rapidement forme sous ses yeux, Rebecca hocha la tête.

— Oui, répondit-elle. J'aimerais beaucoup y passer quelques jours, si cela ne vous dérange pas, et si les réservations le permettent.

— Oh ! non ! protesta Regan. Et moi qui comptais te garder chez nous…

— J'accepte votre hospitalité avec plaisir, assura-t-elle en se tournant vers son amie. Mais, dans le cadre de mes recherches, il va me falloir également demeurer quelque temps à la maison Barlow.

— A mon avis, intervint Rafe, vous n'aurez pas à attendre bien longtemps. La première fois que j'ai eu l'occasion de serrer Regan dans mes bras, les fantômes lui avaient tellement fait peur qu'elle s'était évanouie devant moi…

— Ce n'est pas tout à fait comme ça que ça s'est passé ! corrigea Regan en lui donnant une petite tape sur le bras. Je croyais que Rafe était en train de me jouer un tour pour m'effrayer. Lorsque j'ai compris que ce n'était pas le cas… cela m'a fichu un coup.

— Raconte-moi tout, la pressa Rebecca, fascinée. Qu'as-tu vu ?

— Rien du tout.

Un peu réticente à l'idée d'aborder le sujet devant son fils, Regan vérifia d'un coup d'œil qu'il était trop engagé dans son jeu pour prêter attention à leur conversation.

— En fait, reprit-elle, ce n'était qu'une sensation diffuse, l'étrange certitude de n'être plus seule, même si tout m'indiquait que je l'étais. La maison était vide et inoccupée depuis des années et Rafe n'avait pas encore démarré les travaux. Puis il y a eu ces bruits inexplicables — des pas, des portes qui claquent. Mais le plus effrayant, ce fut ce froid glacial qui d'un coup s'est abattu sur moi, alors que je grimpais l'escalier.

— Tu l'as ressenti ?

Neutre et détachée, la voix de Rebecca était à présent celle d'une scientifique rassemblant des données.

— Au plus profond de moi, répondit Regan avec un petit frisson rétrospectif. Rafe m'a raconté ensuite qu'un jeune soldat confédéré avait trouvé la mort à cet endroit, le jour de la bataille d'Antietam.

— L'un des deux caporaux, précisa Rebecca, à la grande surprise de Rafe qui fit une pause dans ses occupations pour l'écouter. J'ai effectué quelques recherches à ce sujet. La légende raconte que les routes de deux soldats ennemis se sont malencontreusement croisées, dans les bois qui séparent la maison Barlow de la ferme MacKade. Cela s'est passé en septembre 1862. Certains disent qu'ils s'étaient égarés, d'autres qu'ils cherchaient à déserter. Ce qui est sûr, c'est qu'ils se sont combattus, et blessés l'un l'autre grièvement. Le soldat confédéré a titubé jusqu'à la maison de Charles Barlow — à présent la Résidence MacKade. La maîtresse de maison, Abigail, était une femme du Sud, mariée contre son gré à un riche homme d'affaires yankee. Elle a fait porter le jeune soldat à l'intérieur pour le soigner. Mais, alors qu'ils gravissaient l'escalier, son mari a surgi sur le palier pour achever le blessé d'un coup de revolver.

— Eh bien ! lança Regan, impressionnée. Je vois que même à distance tu n'as pas perdu ton temps.

— Attends ! poursuivit Rebecca sur sa lancée. Ce n'est pas tout. J'ai pu par miracle retrouver la trace de l'arrière-petite-fille de la femme de chambre d'Abigail Barlow. D'après le journal de son aïeule, qui lui a été légué, il semble qu'Abigail ait continué à se soucier du sort du soldat sudiste, même après sa mort. Grâce à des lettres de ses parents retrouvées dans ses poches, elle a pu faire en sorte que le corps soit rapatrié chez lui pour y être enterré…

— Jamais nous n'avions entendu mentionner ce détail, murmura Rafe, incrédule.

— Sans doute Abigail a-t-elle gardé le secret pour échapper à la colère de son mari. Le soldat s'appelait Gray, Franklin Gray, caporal de l'armée des Etats confédérés. Il est mort avant son dix-neuvième anniversaire.

Comme pour honorer sa mémoire, un silence pensif tomba dans la pièce, troublé seulement par les craquements du feu dans l'âtre et les commentaires insouciants de Nate, toujours plongé dans la construction de son château.

— Si c'est possible, reprit enfin Rebecca d'une voix plus enjouée, j'aimerais voir dès demain cette fameuse maison Barlow. Ainsi que les bois qui l'entourent.

Puis, se tournant vers Rafe, elle ajouta :

— Je pousserai peut-être également jusqu'à la ferme. C'est là que l'autre caporal a dû réussir à se traîner pour mourir. Je n'en suis pas certaine car je ne suis pas parvenue à retrouver sa trace, mais il a sans doute été enterré clandestinement par vos arrière-grands-parents. Leurs sympathies sudistes étaient de notoriété publique et ils auraient pu être suspectés si l'on avait retrouvé un soldat de l'Union mort chez eux.

— Bien raisonné, approuva Rafe. C'est en effet ce que rapporte la chronique familiale, même si les MacKade sont toujours restés discrets à ce sujet. Au point que nul ne sait où repose ce pauvre gosse...

— J'espère en apprendre davantage sur place, ajouta Rebecca. Mon matériel devrait m'y aider. Il arrivera sans doute demain, après-demain au plus tard.

— Votre matériel..., répéta Rafe sans paraître comprendre.

Sa réaction arracha à Rebecca un sourire amusé.

— Des caméras de vidéosurveillance, expliqua-t-elle, des micros ultrasensibles, du matériel d'enregistrement, un oscillographe, des capteurs thermiques, un ordinateur. Vous n'êtes pas sans savoir que les chasseurs de fantômes ont bien changé, de nos jours. La parapsychologie s'étudie de manière scientifique et rationnelle, avec des outils qui ne le sont pas moins.

Regan se redressa brusquement.

— Eh bien moi, dit-elle, il faudrait peut-être que je me montre un peu plus scientifique et rationnelle pour la préparation de notre dîner si nous voulons manger…

— Je vais t'aider, proposa aussitôt Rebecca.

— Ne me dis pas, s'exclama Regan en riant, que tu as *en plus* appris à faire la cuisine en Europe !

— Non, avoua-t-elle avec une grimace de dépit. Je suis toujours incapable de faire cuire un œuf.

— A l'université, expliqua Regan en riant de plus belle, tu avais coutume de dire que c'était chez toi une tare génétique !

— Je me le rappelle. A présent, je sais qu'il s'agit plus simplement d'une phobie. Mais je me suis soignée ; dorénavant, je parviens tout de même à mettre la table…

— Ça me convient tout à fait !

Tard cette nuit-là, munie d'un livre et d'un bon thé, Rebecca rêvassait dans le confortable fauteuil voltaire disposé devant la fenêtre ouverte de sa chambre. Délaissant les pages de son ouvrage, ses yeux ne cessaient de passer du décor confortable de la pièce à la campagne plongée dans les ténèbres et bruissant de mille petits bruits.

De la splendeur de la nuit étoilée ou de la somptuosité des meubles — un grand lit à baldaquin, un secrétaire de bois de rose, de belles lampes en cuivre, à globes de verre dépoli —, il lui eût été difficile de dire ce qui lui plaisait le plus. Mais la conjonction de ces deux éléments lui procurait la troublante impression d'avoir tout à coup, loin de New York et de son stress permanent, basculé dans une autre vie.

Le fait de partager l'intimité d'une famille — ce qui lui était si rarement arrivé — renforçait encore ce sentiment. Une minute plus tôt, les cris du bébé s'étaient fait entendre au bout du couloir, aussitôt suivis d'un bruit de pas feutrés. Rapidement, Jason s'était calmé, ce qui signifiait que sa mère était sans doute en train de le nourrir.

Rebecca devait encore fournir un effort pour réaliser que la jeune Regan Bishop qu'elle avait connue à l'université était à présent mariée et mère de deux enfants... Brillante, pleine d'énergie, Regan avait dès cette époque décidé de vivre la vie indépendante et libre que sa mère, femme au foyer entièrement dévouée à son mari, n'avait jamais vécue.

Un caractère bien trempé qui pourtant ne rebutait pas les étudiants, nombreux à tenter leur chance auprès d'elle. Rebecca sourit avec nostalgie. Une femme qui avait sa beauté et sa classe naturelle ne pouvait rester seule très longtemps. Il n'y avait cependant pas que son physique pour la rendre populaire auprès de leurs condisciples des deux sexes. Sa drôlerie, sa gentillesse et son souci des autres lui attiraient bien des sympathies.

Cette popularité n'avait rendu que plus incroyable l'amitié qu'elle lui avait offerte lorsqu'elles s'étaient connues. Mal fagotée, taciturne, effroyablement sérieuse et pathétiquement timide, Rebecca n'avait à l'époque vraiment rien pour attirer le regard des autres, et surtout pour le retenir. Et pourtant, Regan avait trouvé tout naturel d'aller vers elle, et de prendre sous son aile protectrice la pauvre petite surdouée perdue dans un monde trop grand pour elle. Mieux encore, elle avait fait en sorte d'équilibrer leur relation, en y puisant autant de satisfactions qu'elle en retirait elle-même.

Aussi Rebecca éprouvait-elle, du fond du cœur, une joie sincère à la retrouver aussi heureuse et bien établie dans l'existence. Aux côtés d'un mari séduisant qui visiblement l'adorait, avec deux enfants délicieux, une maison splendide, un commerce prospère dans le domaine d'activité qui l'avait toujours passionnée, son amie pouvait se vanter d'avoir réussi à concilier vie professionnelle et vie de famille.

Elle songea avec amertume qu'elle pouvait difficilement en dire autant. La science et le travail intellectuel, qui avaient jusqu'alors constitué l'axe autour duquel s'était structurée son existence, avaient fini par l'asservir sans lui apporter le bonheur. A dire vrai, la grande famille universitaire avait constitué le seul foyer qu'elle eût jamais connu…

Et maintenant qu'elle avait réussi à s'envoler de ce nid devenu trop étroit, Rebecca se sentait pousser des ailes. Durant les quelques mois à venir, elle serait libre de n'en faire qu'à sa tête, d'explorer toutes les facettes de sa personnalité et non plus seulement les ressources de son intellect. Elle voulait éprouver des sentiments, ressentir des émotions, vivre passionnément... Elle souhaitait prendre des risques, commettre des erreurs, se laisser aller à faire toutes sortes de choses folles et excitantes...

Elle aurait été bien incapable de déterminer d'où lui venait ce goût subit pour l'aventure. Peut-être de ces étranges rêves qui ne cessaient de la visiter... Il n'en demeurait pas moins que la perspective de rendre visite à son amie de jeunesse, la seule qui lui fût restée fidèle malgré les années et l'éloignement, s'était tout à coup imposée à elle de manière imparable. Le fait que Regan eût choisi de s'établir à Antietam, terre d'histoire et de légendes, allait lui permettre de surcroît de s'adonner entièrement à un hobby qui au fil du temps avait pris pour elle l'importance d'une passion.

D'où et quand lui était venu cet intérêt pour les manifestations paranormales ? Rebecca n'aurait pu le dire. Sans doute s'était-il agi d'une prise de conscience progressive qui l'avait amenée à envisager l'étude de ces phénomènes que la science déclarait inexplicables parce que inexpliqués. Bien sûr, ses rêves devaient également avoir joué un rôle prépondérant dans ce processus. Ils avaient commencé quelques années auparavant, fragments d'images qui peu à peu s'étaient complétés, pour acquérir la cohérence troublante de souvenirs.

Alors, systématiquement, Rebecca avait commencé à les noter et à les recouper. Sa formation de psychiatre l'avait préparée à accorder au monde des rêves et de l'inconscient l'attention qu'il mérite. Son cursus universitaire lui avait fourni les outils pour aborder le sujet de manière objective et rigoureusement scientifique. Mais, tout à fait objectivement, il lui fallait bien reconnaître que sa curiosité personnelle avait fini par prendre le pas sur toute autre considération.

Ainsi en était-elle arrivée sans trop se poser de questions à suivre l'intuition qui la poussait à Antietam. Et à peine y était-elle parvenue que s'emparait d'elle l'affolante sensation de voir se matérialiser sous ses yeux un paysage tant de fois parcouru en songe… N'était-ce qu'une pure coïncidence, le fruit de son imagination, ou fallait-il y voir un signe du destin ? Bien sûr, il était possible d'expliquer le phénomène de manière rationnelle.

Adolescente, elle avait visité le champ de bataille en compagnie de ses parents. Elle se rappelait avoir arpenté le théâtre des opérations, visité les monuments, le musée. Mais nulle part elle ne gardait le souvenir d'avoir parcouru cette portion de route particulière qui surplombe la ferme MacKade. L'eût-elle d'ailleurs fait, sur le siège arrière de la berline familiale, qu'elle n'eût sans doute prêté aucune attention au paysage, tout entière absorbée qu'elle était à rejouer sous son crâne les différentes phases de la célèbre bataille…

Etouffant un bâillement, Rebecca s'étira, posa son livre et se leva pour aller fermer la fenêtre. Il ne servait à rien de remuer sans fin des questions sans réponses. Tout comme il était inutile de faire semblant de lire.

Avec un petit gloussement de plaisir, elle courut pieds nus jusqu'au lit imposant et se glissa entre les draps recouverts d'une belle courtepointe en patchwork. Les yeux fermés, elle savoura le contact du tissu contre sa peau, le confort des oreillers moelleux sous sa tête, les effluves du bouquet de fleurs des champs que Regan avait eu la gentillesse de déposer dans un vase sur la cheminée.

De toutes petites choses, songea-t-elle avec un sourire rêveur, mais qui rendaient la vie si belle… De toutes petites choses auxquelles elle n'avait jamais prêté attention, mais que la nouvelle Rebecca Knight était bien décidée à apprécier dorénavant à leur juste prix.

Le fracas de la bataille retentissait sans discontinuer, si proche, si menaçant. Mais ce qui était un véritable crève-cœur, c'était le fait de savoir que tant d'hommes, jeunes pour la plupart et n'ayant pas encore profité de la vie, étaient à l'instant même en train de combattre, de tomber, de mourir…

En y songeant, Sarah ne pouvait s'empêcher de penser à son pauvre Johnny, son fils disparu, qui plus jamais ne déboulerait dans la cuisine, en souriant, pour réclamer un supplément de cookies.

Alors que redoublait le bruit des canonnades dans le lointain, Sarah s'efforça de combattre sa peur, en s'immergeant dans la routine rassurante d'avoir à préparer dans la cheminée le repas du soir. Tout ce à quoi elle devait penser, c'était aux dix-huit merveilleuses années qu'elle avait eu le temps de vivre aux côtés de Johnny. La guerre pouvait lui prendre son fils, mais elle ne pourrait jamais lui confisquer ses souvenirs…

Dieu lui avait également donné deux filles adorables, et c'était une consolation. Mais elle ne pouvait s'empêcher de se faire un sang d'encre pour son mari. Il faisait tout pour n'en rien laisser paraître, mais elle devinait qu'il souffrait sans répit, de jour comme de nuit. La bataille qui faisait rage à présent jusque dans leurs bois, jusque dans leurs champs, ne faisait rien pour arranger les choses.

Saisie par un élan de tendresse, Sarah songea en s'essuyant les mains à son tablier à quel point son John était un homme droit et bon. Vingt ans après qu'elle eut accepté de prendre son nom, l'amour qu'ils nourrissaient l'un pour l'autre était toujours aussi intense. Après toutes ces années de mariage, son cœur faisait encore des bonds dans sa poitrine lorsqu'elle le voyait rentrer du travail, fourbu et crotté. Et la nuit, dans leur lit, il suffisait qu'il se tourne vers elle pour qu'elle se sente aussitôt fondre de désir. Bien des femmes, elle le savait, ne pouvaient se prévaloir d'un tel bonheur.

Mais depuis ce jour où leur était parvenue la nouvelle que leur fils avait péri à la bataille de Bull Run, John ne riait plus. Désormais, il y avait des rides au coin de ses yeux, emplis d'une amertume qu'elle ne leur avait jamais connue. Lorsque Johnny était parti pour le Sud — avec tant d'enthousiasme, tellement d'idéal —, son père avait été si fier de lui... Dans un Etat frontière comme le Maryland, les sympathisants de la cause sudiste étaient nombreux. Des familles entières pouvaient se déchirer et se haïr à jamais pour cause de divergences d'opinion.

Rien de tel chez les MacKade. Johnny avait fait son choix en toute liberté de conscience, et John l'avait soutenu. C'était ce choix qui avait causé sa mort, et Sarah redoutait que John ne s'accuse de la disparition de leur fils, tout comme il accusait les Yankees. Saurait-il un jour pardonner, à lui comme aux autres, et retrouver cette paix de l'esprit sans laquelle sa vie deviendrait un enfer ?

Sarah savait que s'il n'en avait tenu qu'à lui, s'il ne

s'était pas senti lié par ses responsabilités vis-à-vis de sa terre, de sa femme, de ses filles, John aurait tout quitté pour s'enrôler dans les troupes confédérées. Cela lui faisait peur de penser que cohabitaient chez cet homme qu'elle croyait connaître tant de haine et tant de bonté, la volonté de prendre les armes pour ôter la vie d'autres hommes et le besoin de cultiver la terre pour les nourrir. Ce devait être le seul sujet dont ils n'avaient jamais osé parler tous les deux, et elle savait qu'ils ne le feraient jamais.

Sarah se redressa et quitta la cheminée pour s'approcher de la table où ses filles pelaient des pommes de terre et des carottes pour le ragoût. Pour ne pas céder de terrain à la panique, elles bavardaient sans relâche, avec un entrain un peu forcé qui ne les empêchait nullement de sursauter à chaque nouvelle détonation.

Pendant qu'elles travaillaient, debout derrière elles, elle leur caressa doucement les cheveux. Puis la porte s'ouvrit et elle se tourna vers son mari pour l'accueillir d'un sourire. Son visage était empreint d'une telle lassitude qu'elle se hâta de le rejoindre sur le seuil, posant sa joue contre son épaule et refermant autour de lui le cercle de ses bras. Elle sentit sur lui l'odeur rassurante de la paille fraîche, des bêtes, et celle plus discrète et plus troublante de sa peau baignée de sueur.

— On dirait que cela s'éloigne, bougonna-t-il. Je ne veux pas que tu t'inquiètes.

Doucement, les lèvres de John lui effleurèrent la joue.

— Je ne suis pas inquiète, assura-t-elle.

Puis, le voyant poser sur elle un regard dubitatif, elle s'empressa d'ajouter :

— Ou alors juste un peu…

— Maudits Yankees ! s'emporta-t-il avec hargne. De quel droit viennent-ils verser le sang sur ma terre ?

Proférant à mi-voix un chapelet de jurons rageurs, il se dégagea de l'emprise des bras de sa femme pour aller se servir un café. Au regard éloquent que leur lançait leur mère, les deux filles eurent tôt fait de comprendre qu'il valait mieux pour elles quitter la pièce sur la pointe des pieds.

— Ce sera bientôt fini, murmura-t-elle lorsqu'ils furent seuls. La ligne de front recule de jour en jour. Nous avons déjà tant souffert que cela ne peut pas durer tellement plus longtemps.

A l'autre bout de la pièce, John hocha gravement la tête. L'amertume, une amertume sans fond, baignait de nouveau son regard.

— Cela durera aussi longtemps qu'ils le voudront, répondit-il dans un souffle. Aussi longtemps que des hommes auront des fils à sacrifier…

Sans même y avoir touché, il reposa bruyamment son café sur la table et gagna la porte d'un pas pressé.

— Je sors, grogna-t-il. Je dois vérifier que toutes les bêtes sont à l'abri.

— John…

En hâte, Sarah s'empara de la main de son mari avant qu'il ait pu sortir et la serra tendrement dans la sienne. Que pouvait-elle lui dire pour l'apaiser ? Qu'il n'y avait personne à blâmer, et surtout pas lui ? Mais cela, elle le savait, n'aurait fait qu'attiser sa rancœur. Alors, renonçant à parler, elle fit ce que son cœur lui dictait. Portant à ses lèvres la main de John, elle déposa un baiser sur sa paume calleuse et murmura :

— Je t'aime…

— Sarah…

Pour un moment, juste pour elle, les yeux de son mari s'adoucirent et retrouvèrent un peu de leur chaleur ancienne.

— Ma douce Sarah…

Comme si ce baiser devait être le dernier, il laissa avant de sortir ses lèvres s'attarder un long moment sur les siennes.

Dans son sommeil, Rebecca s'agita un instant, marmonna quelques paroles indistinctes, et poussa un soupir de bonheur.

Comme souvent depuis que la guerre l'avait rattrapé chez lui, John quitta la maison la rage au ventre et les poings serrés. De l'autre côté de la colline, un nouvel obus de mortier venait de s'écraser dans un fracas d'enfer, faisant trembler la terre sous ses pieds. Heureusement, il avait eu le temps d'achever la moisson avant l'arrivée des troupes. A présent, la plupart de ses champs étaient éventrés, les chaumes noircis, la terre éclaboussée de sang et de débris de fer.

La pensée qu'il lui faudrait labourer ces champs de mort, enfouir tout ce sang versé, toute cette ferraille meurtrière, lui soulevait le cœur. Et pourtant, il lui faudrait bien s'y résoudre, et semer dans ces sillons au printemps un blé qui garderait le goût amer de la souffrance et de la peine des hommes. Machinalement, John plongea la main dans sa poche, laissa ses doigts se refermer sur le portrait miniature de son fils qui ne le quittait jamais.

Tandis qu'il scrutait les alentours pour enregistrer

les derniers dégâts infligés à sa terre par la guerre, ses yeux demeurèrent secs et fiers. Il n'était plus temps de pleurer. Sans sa terre, il n'était rien. Sans Sarah, il serait perdu. Sans ses filles, il mourrait sans doute. Mais sans son fils, il n'avait d'autre choix que de continuer à vivre, en conservant comme un trésor au fond de son cœur le petit Johnny farceur et rieur, qui l'avait suivi comme son ombre dès qu'il avait été en âge de marcher.

Le visage fermé, les yeux perdus dans le lointain, John demeura un long moment immobile, jusqu'à ce qu'un gémissement, à peine audible, attire son attention. Le front ridé de plis soucieux, il se mit à en chercher l'origine. Il avait déjà mis le troupeau en sécurité mais peut-être un veau avait-il échappé à sa vigilance ? A moins que l'un de ses chiens n'ait réussi à se faufiler hors de la grange, où il les avait bouclés pour leur éviter de prendre une balle perdue.

Les gémissements, de plus en plus audibles, le menèrent jusqu'au coin de la grange. Redoutant ce qu'il allait découvrir, John fit une halte avant d'oser avancer. La perspective d'avoir à achever un animal lui répugnait toujours autant, même s'il avait passé sa vie à voir naître et mourir des bêtes autour de lui.

Mais ce n'était pas un animal qui geignait ainsi, et qu'il découvrit effondré contre la porte en chêne. C'était un homme. Un soldat. Un de ces damnés ventres bleus qui prétendaient envahir sa terre. Un de ces Yankees qui avaient tué son fils. Un bref instant, un sentiment de triomphe fulgura en lui. Crève donc ! songea-t-il avec une joie sauvage. Crève ici, comme mon Johnny est mort, si loin de chez lui, sur la terre d'un autre…

Du bout du pied, sans ménagement, John retourna l'homme sur le dos pour voir son visage. L'uniforme de l'Union était en loques, boueux, détrempé de sang, et il eut le temps de s'en réjouir avant que ses yeux ne découvrent le visage de l'inconnu. Ce n'était pas un homme. C'était un gamin, à peine en âge de se raser. Le sang avait déserté son visage crayeux. Ses yeux apeurés étaient enfoncés dans leurs orbites.

— Papa ? gémit-il en le dévisageant intensément. Papa ? Tu vois, je suis rentré…

— Non, répondit John, le cœur au bord des lèvres. Je ne suis pas ton père, mon garçon.

A l'espoir qui les avait fait briller succéda dans les yeux du blessé un désespoir sans fond.

— Aidez-moi, supplia-t-il en se tenant le ventre. Je vous en prie, aidez-moi. Je meurs…

Dans son sommeil, Shane poussa un gémissement et lutta, les poings serrés, contre les draps dans lesquels son corps s'était entortillé.

Chapitre 3

Les yeux grands ouverts et le cœur battant, Rebecca avait l'impression de vivre l'un des moments les plus intenses de son existence. L'air embaumait du parfum des roses, auquel se mêlait la senteur poivrée de chrysanthèmes précoces. Devant elle, contre le ciel d'un bleu d'azur immaculé, se profilait la silhouette élégante et fière de la maison Barlow.

En Europe, elle avait étudié l'architecture, visité les majestueuses cathédrales de France, les romantiques villas d'Italie, les imposantes ruines des temples de la Grèce antique. Mais cette bâtisse de deux étages en pierre de taille, avec ses hautes cheminées de brique et ses fenêtres en demi-cintre étincelant au soleil, la touchait bien plus que ne l'avaient fait les flèches de la cathédrale Notre-Dame.

La qualité architecturale du lieu, bien réelle pourtant, ne suffisait pas à justifier cette émotion. La réputation de cette maison tenait bien plus aux phénomènes étranges censés s'y produire qu'à l'originalité de sa construction.

Au cours du mois écoulé, elle avait passé une bonne partie de son temps à collecter les informations la concernant — légendes ou faits avérés. Elle savait tout de ses anciens propriétaires. Elle connaissait la majeure partie des événements dramatiques qui s'y étaient déroulés. Quant aux nombreux phénomènes qui s'y produisaient, Regan, qui l'accompagnait dans sa visite, avait eu le temps durant le trajet de les lui résumer.

— C'est vraiment magnifique, Regan.

A côté d'elle, son amie ne cessait de contempler la maison, le parc, le paysage, avec un regard empli de fierté.

— Dommage que tu ne l'aies pas vue telle qu'elle était autrefois, dit-elle, avec ses fenêtres cassées, son porche affaissé et ses toitures crevées, sans parler de l'intérieur… Elle correspondait bien plus alors à l'image que l'on se fait d'une maison hantée !

A ce souvenir, Regan réprima un frisson.

— Ce n'est pas parce qu'il est mon mari, conclut-elle en entraînant Rebecca par le bras, mais je dois dire que Rafe a un réel talent pour discerner les potentialités d'une demeure et pour en tirer parti.

— Sans doute, approuva Rebecca. Mais il n'est pas le seul qui mérite des félicitations pour le travail accompli ici…

— Tu as raison…

Les lèvres de Regan s'ourlèrent d'un sourire mutin tandis qu'elle s'avançait sous le porche pour lui ouvrir la porte.

— Moi aussi, reprit-elle, j'ai fait du sacré bon boulot. Juges-en par toi-même…

Et Rebecca n'eut pas à pénétrer bien loin dans la maison pour s'en convaincre. Partout, le bois doré des planchers remis à neuf luisait sous la lumière rasante du soleil. Les murs de soie tendue s'ornaient de belles toiles anciennes, les plafonds de frises en plâtre, les fenêtres de rideaux de mousseline. Les meubles d'époque, les lampes, les tapis, les bibelots, s'agençaient avec une harmonie tellement naturelle qu'elle en paraissait fortuite.

— Fantastique, murmura Rebecca, sans cesser d'admirer le grand salon aux murs bleus où elles venaient de déboucher. On s'attendrait presque à entendre le froissement des crinolines…

— Merci du compliment, se rengorgea Regan, les joues roses de plaisir. L'ameublement, les couleurs, les textures, les ambiances sont conformes à ce qu'ils auraient pu être à l'époque de la Guerre civile. Même la cuisine et les salles de bains s'en inspirent — dans la limite des nécessaires concessions au confort moderne, naturellement…

— Vous avez dû travailler comme des damnés…

— C'est vrai, reconnut Regan en l'entraînant vers le hall. Pourtant, je ne me rappelle pas avoir jamais travaillé avec autant de facilité et d'aisance qu'à l'époque où j'ai connu Rafe.

— Je vois, assura Rebecca avec un clin d'œil complice. L'énergie libérée par le coup de foudre, sans doute…

— Tu ne crois pas si bien dire, renchérit Regan. Mes belles-sœurs pourront te le confirmer, la situation devient pour le moins explosive lorsque l'on a la chance de tomber sous le charme d'un MacKade.

— Explosive ! Cela paraît plutôt violent, effrayant, même.

Regan hocha pensivement la tête.

— Ça l'est, en effet.

— Mais apparemment, conclut Rebecca, cela n'est pas pour te déplaire.

— Bien au contraire…

Au pied de l'imposant escalier de marbre, Rebecca

éclata de rire et vint prendre les longues mains fines ornées de multiples bagues de son amie dans les siennes.

— Qui aurait pu croire cela de toi ? lui dit-elle avec affection. Pour être franche, je te voyais finir tes jours en compagnie d'un homme aussi élégant que lisse et sophistiqué, qui aurait fréquenté un club et pratiqué le squash de temps à autre pour garder la forme… Inutile de te dire que je suis ravie de m'être trompée !

— Et moi, donc ! assura Regan avec un soupir de soulagement. Mais qu'est-ce qui a bien pu te faire croire une chose pareille ?

— Tu as toujours été tellement chic ! répondit-elle sans hésiter. Sans même donner l'impression de faire un effort pour l'être ou le rester, tu étais en toute occasion si nette, si élégante, si soignée.

S'éloignant d'un pas pour détailler le pantalon à pinces aux plis impeccables que portait son amie, puis son confortable blazer de laine à boutons dorés, elle ajouta :

— Apparemment, tu l'es restée.

— J'espère que je dois prendre cela comme un compliment…

— Absolument ! Du temps de notre jeunesse, j'en étais même venue à te jalouser et à penser que si j'avais pu avoir la chance d'être comme toi, je n'aurais sans doute pas été dans la vie une telle godiche…

— Tu n'étais pas une godiche.

— J'en avais tellement l'air que j'aurais pu donner des cours, insista Rebecca. Mais tu vois…

Du regard, elle désigna l'ample tailleur de lin froissé qu'elle avait revêtu ce jour-là, avant de conclure :

— Depuis, j'ai appris à le dissimuler.

Elles en riaient encore et s'apprêtaient à gravir les

marches lorsqu'une voix de femme leur parvint depuis le palier du premier.

— Il me semblait bien avoir entendu des voix…

Rebecca leva les yeux. Petite et mince, un nourrisson reposant sur sa poitrine dans un porte-bébé, la jeune femme blonde qui venait à leur rencontre avait de grands yeux clairs aussi timides que le sourire de bienvenue qu'elle leur adressait.

Lorsqu'elle les eut rejointes, Regan se pencha pour admirer le bébé endormi.

— Je me doutais bien, répondit-elle, que tu serais là-haut en train de faire les lits avec le bébé dans les bras…

Avec un geste de la main, Cassie balaya le reproche implicite.

— J'aime que les chambres soient prêtes de bon matin, expliqua-t-elle. De toute façon, Ally était agitée et cela m'a permis de l'endormir.

Puis, se tournant vers Rebecca :

— Je suppose que vous êtes l'amie dont Regan attendait la visite…

D'une voix solennelle, celle-ci se chargea des présentations.

— Docteur Rebecca Knight, petit génie et amie fidèle…

Il y avait tant d'affectueuse tendresse dans cette boutade que Rebecca ne put qu'en sourire.

— Cassandra MacKade, reprit Regan, mon irremplaçable belle-sœur sans laquelle cette Résidence ne serait rien.

— Ravie de faire votre connaissance…

En un geste un peu hésitant, Cassie lâcha la rambarde

pour tendre la main à Rebecca, qui s'empressa de la serrer chaleureusement.

— Pas autant que moi, dit-elle. Voilà des semaines que je piaffe d'impatience de venir ici. Cela doit représenter beaucoup de travail de s'occuper d'une aussi grande maison et de ses hôtes…

— Vivre ici, fit Cassie en rougissant légèrement, est surtout un grand privilège. Mais je vous laisse continuer votre visite. Si vous avez besoin de moi, je termine les lits au premier. Il y a du café et des cookies frais dans la cuisine.

— Merci beaucoup, intervint Regan en caressant le duvet qui recouvrait le crâne d'Ally, noir de jais comme les cheveux de tous les MacKade. Mais peut-être pourrais-tu plutôt faire une pause et te joindre à nous ? Je suis sûre que Rebecca brûle d'entendre ce que tu as à lui raconter à propos des hôtes invisibles de cette maison…

— Eh bien…

Visiblement préoccupée par les chambres qui attendaient encore sa visite, Cassie jeta un coup d'œil inquiet en direction du premier.

— Je vous en serais très reconnaissante, ajouta Rebecca. Regan m'a expliqué que vous aviez vécu ici plusieurs expériences intéressantes et j'aimerais beaucoup en apprendre davantage. Vous avez même eu droit à une apparition, m'a-t-elle dit ?

— Je…

Plus rouge que jamais, Cassie ne put en dire plus. Elle parlait rarement des phénomènes étranges auxquels elle était confrontée entre ces murs. Non par peur de paraître ridicule, mais parce que c'était pour elle un sujet des plus intimes.

— Cassandra, reprit Rebecca avec conviction. Je ne porte à tout cela qu'un intérêt strictement scientifique. Vous pouvez vous exprimer sans crainte.

— Je sais, répondit Cassie. Regan m'a expliqué ce que vous comptiez faire ici.

Puis, comme si les assurances de Rebecca avaient réussi à la tranquilliser, elle prit une profonde inspiration et se lança :

— J'ai vu l'homme dont Abigail Barlow était amoureuse. Je l'ai vu comme je vous vois, pendant quelques secondes. Il s'est adressé à moi comme si j'étais elle…

La visite reprit son cours sous la houlette de Cassie, et Rebecca ne cessa de s'enthousiasmer en chemin du récit extraordinaire qu'elle lui faisait de sa voix calme et posée. Manifestement, ce petit bout de femme avait, avec cette maison et avec celle qui l'avait autrefois occupée, un lien empathique très fort. Sans doute était-ce cette sensibilité particulière qui lui avait permis de vivre ces expériences stupéfiantes qu'elle lui rapportait, en toute simplicité.

Grâce à Cassie MacKade et aux précisions inédites qu'elle apportait, il était possible de reconstituer dans son intégralité la triste histoire des Barlow dans cette maison. Une histoire tissée de souffrance et de meurtre, de haine et de chagrin inexpiables, d'amour perdu et de vies brisées… Comment s'étonner qu'une telle tragédie eût laissé ici-bas des âmes sans repos ?

Mais en s'engageant dans les bois environnants après sa visite, Rebecca ne put que constater qu'à aucun moment elle n'avait ressenti entre ces murs de sensation particulière. Elle avait admiré le lieu, le travail de titan que Rafe et Regan y avaient accompli, elle avait écouté avec une attention passionnée le récit que Cassie lui avait fait, mais les hôtes invisibles que semblait receler la vieille maison Barlow ne s'étaient pas manifestés à elle…

Peut-être son équipement lui permettrait-il d'y voir plus clair. Un coup de fil à l'aéroport au saut du lit lui avait appris qu'il serait livré dès le lendemain. Cassie lui avait assuré qu'elle pourrait sans difficulté l'installer pour quelques jours dans une des suites. A l'occasion de l'anniversaire de la bataille, la Résidence afficherait complet, mais il lui restait encore, avant cette date, de beaux jours — et surtout de longues nuits — devant elle.

En pénétrant quelques minutes plus tôt sous le couvert des arbres, Rebecca avait ressenti avec espoir un frisson lui parcourir l'échine. Mais comme elle l'avait compris bien vite, seule la pénombre épaisse qui régnait dans le sous-bois en était responsable. Elle entendait autour d'elle des chants d'oiseaux, le bruissement dû à la fuite des écureuils dans les arbres, le bourdonnement continu des insectes, mais pas le moindre soupir déchirant ni la moindre plainte d'outre-tombe…

Après avoir suivi à la lettre les indications précises que lui avait données Cassie, Rebecca finit par déboucher dans la clairière où l'on racontait que les deux caporaux s'étaient rencontrés, le 17 septembre 1862. Ici, au pied de cet éboulis de rochers dominé par la silhouette fantomatique d'un grand arbre mort, deux jeunes soldats ennemis s'étaient jetés l'un sur l'autre et blessés mortellement.

Tous les sens aux aguets, Rebecca s'assit sur l'un des rochers et attendit quelques minutes, figée dans un silence parfait. Certains rapportaient avoir entendu en ce lieu le choc des baïonnettes. D'autres avaient ressenti un poignant sentiment de peur et de détresse. D'autres, encore, avaient nettement perçu des souffles affolés et des gémissements de douleur. Mais elle, elle qui aurait tant voulu entendre, percevoir, ressentir, elle qui était là tout exprès et n'attendait que ça, elle n'enregistrait rien d'autre que l'engourdissement qui peu à peu la gagnait...

Une minute encore, elle se laissa bercer par le chant des oiseaux et griser par le jeu du soleil à travers les frondaisons. A défaut de pouvoir accéder à l'autre monde, songea-t-elle avec un sourire ironique, il lui était au moins possible de goûter aux délices de celui-ci... Il serait bien temps ensuite d'achever sa promenade par la ferme MacKade. Mais, curieusement, cette perspective l'emplissait d'un sentiment dont elle n'aurait su dire s'il était d'impatience ou d'appréhension.

Depuis l'orée du bois où Rebecca venait de déboucher, la ferme offrait un spectacle étonnamment serein. Un grand ciel bleu, dans lequel dérivaient de paisibles nuages, coiffait des étendues de blés murs, alternant avec des pâtures d'herbe verdoyante. Dans le fond du vallon, bordé de saules et de peupliers majestueux, s'écoulait un ruisseau étroit aux berges encaissées. Dans cet écrin de calme et de verdure, au pied de la colline, s'agençaient les bâtiments de l'exploitation, autour d'une grange massive couverte de bardeaux blanchis par les intempéries.

Deux fenêtres rondes, semblables à deux yeux ouverts sur le monde, trouaient le mur pignon de celle-ci. Ainsi la vieille grange semblait-elle veiller sur les bâtisses qui l'entouraient. Ici et là se dressaient de grandes citernes bleues, dont Rebecca se doutait qu'il devait s'agir de silos. Il y avait encore des enclos bordés de barrières blanches, un puits coiffé d'une éolienne tournant au vent, quelques vaches blanches et noires broutant dans un pré. Et, au cœur de ce décor de carte postale pour citadin en mal de pittoresque, se dressait la maison.

Le cœur de Rebecca se mit à cogner fort dans sa poitrine dès qu'elle l'aperçut. Incapable de faire un pas de plus, elle se figea sur place, les yeux écarquillés et le souffle court. A en juger par le mica qui la faisait briller au soleil, la pierre des murs provenait de la même carrière que celle de la maison Barlow. Mais le travail en était plus grossier, moins élégant. Un porche de bois argenté agrémentait l'arrière du bâtiment. Elle se dit qu'il devait avoir son pendant à l'avant, avec un rocking-chair ou deux pour prendre le frais durant les chaudes nuits d'été.

Avec le sentiment d'en redécouvrir les détails, Rebecca laissa ses yeux s'attarder sur les deux hautes cheminées, sur les volets de bois gris barrés de Z encadrant les fenêtres, au rez-de-chaussée comme à l'étage. Elle pouvait presque s'imaginer en train de les fermer soigneusement le soir venu, afin de calfeutrer la maison pour la nuit, puis arranger le feu dans l'âtre avant de monter se coucher, de manière à trouver de la braise au matin…

L'espace d'un instant, les lignes et les couleurs de la ferme apparurent à ses yeux avec une telle intensité qu'il lui sembla contempler une photographie. Après avoir cligné des yeux, l'impression se dissipa et elle put relâcher son souffle, qu'elle n'avait même pas eu conscience de retenir. Il ne pouvait s'agir que d'une photographie ou d'une image mentale. Elle chercha à se rassurer... Sans doute la description que Regan lui avait faite de la ferme MacKade dans ses lettres avait-elle été suffisamment précise pour justifier le sentiment de familiarité qui s'était emparé d'elle...

Préférant rire d'elle-même et de son imagination, Rebecca se remit en route le long du chemin de terre qui menait à la ferme. Elle avait parcouru une dizaine de mètres à peine lorsque deux grands chiens jaunes surgirent de nulle part, aboyant en agitant frénétiquement la queue. Sans doute devait-il s'agir de Fred et Ethel, les chiens de Shane, dont Regan lui avait expliqué qu'ils étaient les parents du jeune retriever que Rafe et elle avaient adopté.

Rebecca n'avait rien contre les animaux, quoiqu'en bonne citadine elle préférât les observer à distance. Mais, manifestement, les deux cerbères de la ferme MacKade ne semblaient pas décidés à la laisser en paix. Montrant les dents, la truffe humide, la langue pendante et la queue virevoltant en tout sens, ils ne cessaient de tourner autour d'elle en cercles de plus en plus rapprochés.

— Gentils chiens, lança-t-elle d'une voix incertaine, autant pour se rassurer que pour les gagner à sa cause.

Décidée à risquer le tout pour le tout, elle tendit la main vers eux, soulagée de les voir l'un après l'autre lui lécher affectueusement les doigts plutôt que de les croquer.

— Gentils chiens ! répéta-t-elle plus fermement, en laissant ses doigts s'égarer dans leur fourrure dorée. Bons gros chiens... Fred et Ethel, n'est-ce pas ?

En guise d'assentiment, chacun d'eux lâcha un aboiement rauque, avant de détaler en direction de la maison. Interprétant cela comme une invitation, Rebecca les suivit. Elle arrivait à hauteur des premiers bâtiments de ferme lorsque son attention fut attirée par des grognements.

Comprenant qu'elle allait avoir, pour la première fois, l'occasion d'observer des porcs en chair et en os, elle s'approcha avec le sourire béat du citadin découvrant les merveilles de la nature. Voyant les bêtes s'agglutiner en couinant près de la barrière sur laquelle elle se penchait pour les observer, elle leur sourit et tendit la main pour les caresser.

— Attention ! prévint une voix derrière elle. Ils mordent…

Précipitamment, Rebecca retira ses doigts et fit volte-face. A deux pas d'elle, portant à bout de bras une impressionnante clé à molette, Shane lui souriait. En proie à la panique, elle dut se retenir pour ne pas prendre ses jambes à son cou. Non parce qu'il lui avait fait peur, comprit-elle presque instantanément, mais pour ne pas céder à l'attraction irrésistible qu'il avait immédiatement exercée sur elle.

Des traces de cambouis maculaient ses bras nus, luisant d'une pellicule de sueur qui mettait en valeur chaque muscle. Sa tenue ne faisait rien pour atténuer le pouvoir de séduction qui irradiait de lui. Son débardeur avait dû un jour être blanc mais n'était plus à présent que d'un gris douteux et le jean blanchi aux genoux qu'il portait bas sur les hanches n'était plus, lui non plus, de toute première jeunesse.

Et puis il y avait ce sourire, sûr de lui, conquérant,

et ces yeux d'un vert océan pétillant de malice. Ce sourire et ces yeux, songea Rebecca avec une pointe d'irritation, qui montraient à quel point Shane MacKade était conscient de l'effet qu'il produisait sur les femmes.

— Ils mordent vraiment ? répéta-t-elle d'une voix blanche, luttant pour émerger du rêve érotique dans lequel elle se faisait l'impression d'avoir sombré.

Déposant sa clé à molette contre un piquet de la clôture, Shane vint s'accouder à la barrière à côté d'elle et la regarda avec un plaisir non dissimulé. En plein soleil, clignant des yeux pour résister à la lumière, Rebecca était plus mignonne que jamais… Comme à son habitude, elle portait un de ces ensembles destructurés qu'elle semblait affectionner. Le flou du vêtement ne faisait qu'attiser sa curiosité. Sous ces remparts de tissu, quels trésors pouvait-elle bien protéger ?

— Ils sont en permanence affamés, expliqua-t-il. Si vous n'avez rien à leur donner à manger quand vous tendez les doigts vers eux, ils se jettent dessus comme s'il s'agissait de friandises.

Le plus naturellement du monde, il prit ses deux mains dans les siennes et les examina avec attention.

— Ce serait vraiment dommage de les donner à des cochons, conclut-il.

— Les vôtres ne sont pas très propres, rétorqua-t-elle, d'une voix qu'elle parvint par miracle à maîtriser.

S'arrangeant pour lui sourire aimablement, elle retira ses mains et les glissa par mesure de précaution au fond de ses poches. Shane fit la grimace et s'excusa :

— J'étais en train de travailler.

— C'est ce que je constate. Navrée de vous interrompre…

— Ce n'est rien, assura-t-il en se penchant pour faire la fête aux deux chiens qui les avaient rejoints. Le râteau avait juste besoin d'une petite révision.

Fronçant les sourcils, Rebecca s'étonna :

— Et c'est si salissant que ça de réparer un râteau ?

Un petit sourire, aussi espiègle que charmeur, creusa fugitivement deux fossettes au coin des lèvres de Shane.

— Cela dépend du râteau, répondit-il de manière évasive. Vous arrivez de la Résidence ?

— Oui. Cassie m'a fait visiter la maison et m'a indiqué comment venir ici. Elle se propose de me ramener chez Regan à mon retour. Alors, puisque j'étais dans les parages…

Préférant demeurer dans le vague, Rebecca laissa son regard errer un long moment sur les bâtiments de ferme et les champs alentour.

— Cet endroit est magnifique, dit-elle enfin. Pourquoi n'avez-vous rien planté dans le champ, là-bas ?

Amusé, Shane suivit son regard jusqu'à une parcelle de terre envahie d'herbes folles à la lisière des bois.

— La terre est comme nous, vous savez… De temps à autre elle a besoin de se reposer. Vous désirez réellement un exposé sur la pratique de la jachère ?

Shane la vit de nouveau lui adresser ce sourire artificiel qui lui déplaisait tant. Il avait peut-être réussi à la surprendre à son arrivée, mais elle semblait à présent avoir récupéré tous ses moyens.

— Non, merci, répondit-elle. Une autre fois, peut-être…

Rebecca le vit s'appuyer d'une main sur un piquet, croiser une jambe devant l'autre, et lui sourire ingénument. Un peu agacée, elle pensa qu'il se trompait s'il croyait l'avoir avec ses trucs de séducteur.

— Dans ce cas, reprit-il, que désirez-vous ?

— Une petite visite guidée.

Vaillamment, Rebecca s'efforçait de soutenir sans ciller son regard moqueur.

— Si, toutefois, je n'abuse pas de votre temps, reprit-elle.

— Les jolies femmes n'abusent jamais de mon temps.

D'un geste décidé, Shane ôta le bandana qui lui ceignait le front et s'en servit pour s'essuyer les mains et les bras, avant de le glisser négligemment dans sa poche.

— Venez…

Sans lui laisser le temps de protester, il saisit sa main et l'entraîna à sa suite. Elle remarqua que sa paume était large et calleuse, mais semblait pourtant capable d'une réelle douceur.

Alors qu'ils tournaient au coin d'un hangar, il lui désigna du menton une machine impressionnante, d'aspect dangereux, aux griffes d'acier recourbées comme celles d'un chat.

— Voici le râteau tellement salissant sur lequel je travaillais à votre arrivée, expliqua-t-il avec un petit sourire.

Comprenant sa méprise, Rebecca se garda de tout commentaire.

Au pas de course, Shane l'entraîna vers l'étable. Il le savait, c'était l'endroit de la ferme que les citadins désiraient en général visiter en priorité. Mais quand ils passèrent devant le poulailler, un vaste espace de terre battue entièrement grillagé, Rebecca stoppa net.

— Pourquoi élevez-vous des poules ? s'informa-t-elle. Pour les œufs ?

— Pas uniquement, répondit-il avec un sourire indulgent. Pour la chair également.

Shane vit les sourcils de Rebecca se froncer.

— Vous voulez dire que… Vous mangez vos propres poules ?

Cette fois, Shane ne put retenir un rire sarcastique.

— Vous êtes drôle ! s'exclama-t-il. Pourquoi voulez-vous que j'aille acheter des barquettes de viande au supermarché alors que je n'ai qu'à tendre le bras pour me servir ? Vous n'imaginez tout de même pas que le but d'un éleveur est de produire des animaux de compagnie…

Rebecca fit la grimace et lança par-dessus son épaule un rapide regard en direction de l'enclos des cochons. Comme s'il lisait en elle à livre ouvert, Shane confirma :

— Les porcs aussi, oui… Je produis les meilleures saucisses et le meilleur jambon de tout le pays. Vous restez pour le dîner ?

— Non, merci, répondit-elle en inspirant profondément. Voilà un moment déjà que je songe à devenir végétarienne…

— Si j'avais su, s'excusa Shane, je vous aurais épargné cela. Mais c'est votre faute, aussi. Depuis que vous êtes arrivée, on dirait que vous ne pensez qu'à emmagasiner le maximum de détails en vue d'établir une étude complète et définitive sur la ferme américaine moyenne…

Afin de pouvoir mieux observer son visage, Rebecca plaça sa main libre en visière au-dessus de ses yeux. Si elle avait l'allure et les travers d'une scientifique, il ne faisait aucun doute que Shane MacKade ressemblait quant à lui en tout point au don Juan qu'il était…

— Les détails m'intéressent, confirma-t-elle d'une voix sèche. Voyez-vous, on n'a jusqu'à présent pas trouvé mieux pour se faire une idée juste de la réalité.

— Et la chasse aux fantômes, rétorqua-t-il. Est-ce qu'elle entre dans cette catégorie ?

D'un geste sec, Rebecca retira sa main.

— Monsieur MacKade, si certains esprits curieux ne s'étaient pas de tout temps attachés à expliquer l'inexplicable, vous en seriez encore à labourer votre terre avec un soc en pierre et à offrir des sacrifices à quelque sanglante déesse de la fertilité…

Sur ce, elle tourna les talons et fit quelques pas sans l'attendre en direction de la maison.

— Ecoutez, dit-elle en se retournant brusquement vers lui, les mains sur les hanches. Votre exploitation m'intéresse beaucoup, et j'espère que vous pourrez m'en montrer davantage lorsque nous en aurons le temps. Mais, pour le moment, j'aimerais vraiment pouvoir jeter un œil sur votre maison et notamment sur la cuisine, dans laquelle est mort ce jeune soldat, il y a bien longtemps.

Shane se figea sur place. Un seau d'eau glacée l'atteignant en pleine figure ne lui aurait pas fait plus d'effet.

— Si c'est ce que vous recherchez, bougonna-t-il, il y a longtemps qu'il n'y a plus une trace de sang sur le carrelage.

— Vous m'en voyez rassurée, répliqua Rebecca sans s'offusquer. Ce n'est pas ce qui m'intéresse. Mais j'ai l'impression que ce que je vous demande vous pose un problème…

Shane hocha la tête d'un air sombre. En fait de problème, elle lui en posait plusieurs… Il détestait cette sensation qui ne le quittait plus de s'être fait manipuler. Il n'appréciait pas la manière dont elle le rabrouait. Et pour être tout à fait honnête, il n'avait guère l'habitude de voir une femme lui résister ainsi.

— Puisque Regan me l'a demandé, répondit-il finalement, je vais me montrer coopératif avec vous. Mais je tiens à préciser que je n'aime pas l'idée de vous voir envahir ma maison à la recherche de soi-disant fantômes.

Les bras croisés, Rebecca l'observa quelques instants avec attention. De nouveau, Shane dut lutter contre la désagréable impression d'être une bactérie coincée sous la lamelle d'un microscope…

— Auriez-vous peur de ce que je serais susceptible de découvrir ? demanda-t-elle d'une voix posée.

— Je n'ai peur de rien ! s'emporta-t-il aussitôt. J'ai simplement dit que je n'aimais pas cela.

Rebecca retint de justesse le sourire qui lui montait aux lèvres. Manifestement, elle avait touché une corde sensible.

— Ecoutez, reprit-elle sur un ton persuasif. Offrez-moi donc quelque chose à boire. Nous rediscuterons de tout ceci et nous pourrons peut-être trouver un terrain d'entente.

Songeant qu'il n'y avait pas grand-chose à discuter avec une femme aussi têtue, Shane ne répondit pas et franchit les quelques pas qui le séparaient d'elle. Plus par habitude qu'avec l'intention de flirter, il la prit par la main pour remonter l'allée en direction du porche. Mais alors qu'ils atteignaient la porte de la cuisine, ce simple contact avait suffi à le convaincre de tenter de nouveau sa chance. Après tout, elle sentait diablement bon pour une intellectuelle... Et plus il les observait, plus il brûlait d'envie de goûter aux lèvres de Rebecca.

— Je peux vous offrir du thé glacé, proposa-t-il en pénétrant avant elle dans la pièce.

— Parfait...

Ce fut tout ce que Rebecca fut capable de dire en passant le seuil. Un seul coup d'œil à l'intérieur de la pièce avait suffi à la plonger dans un état de totale euphorie. Indéniablement, il y avait dans cette maison *quelque chose*, une vague impression, un sentiment fugitif, une vérité à peine enfouie. Mais la forte personnalité de Shane, sa présence, la séduction qu'il dégageait, devaient lui troubler l'esprit et l'empêcher d'y accéder.

La pièce, avec sa cheminée ancienne, son réfrigérateur monumental et ses vaisseliers remplis de porcelaine, était de bonne taille pour une cuisine. Manifestement, c'était là que se concentrait dès l'aube et jusque tard dans la nuit la majeure partie des activités dans la maison.

Deux rangées de chaises cannées encadraient une table rustique, sur laquelle le journal du matin était resté ouvert, à côté d'une tasse vide abandonnée. Sur l'appui de fenêtre, au-dessus de l'évier, poussaient quelques plantes dans de petits pots de terre cuite. S'approchant pour les humer, Rebecca constata qu'il s'agissait de romarin, de thym et de basilic. Le maître des lieux, qui cultivait à longueur de journées des hectares de terre, trouvait encore le moyen en rentrant chez lui de s'occuper de quelques plantes aromatiques... Rebecca aurait pu en sourire si elle n'avait été tellement occupée à tenter de définir ce qui derrière ce décor domestique d'apparence si tranquille ne cessait de l'intriguer.

Muni de deux verres de thé glacé, Shane la rejoignit

et fronça les sourcils en la découvrant si tendue, presque aux aguets. Ses yeux, aussi alertes que ceux d'une biche aux abois, ne cessaient de fureter à travers la pièce. Cela le rendait nerveux, et même un peu en colère, de la voir étudier ainsi son intimité pour y discerner des choses auxquelles il ne pouvait lui-même avoir accès.

— C'est la première fois que vous visitez une cuisine ?

Pour toute réponse, Rebecca lui adressa un de ces sourires flegmatiques qui lui avaient coûté tant d'efforts. Il était clair à présent qu'il lui fallait rester seule dans la maison de Shane, ne fût-ce que quelques instants. Elle ne savait pas encore comment cela serait possible, mais elle était bien décidée à y parvenir…

— Cela vous paraîtra sans doute très sexiste de ma part, dit-elle, mais je ne m'attendais pas à trouver l'intérieur d'un célibataire endurci aussi net et bien rangé…

— Ma mère était très stricte sur le chapitre de l'ordre et de la propreté, expliqua Shane en lui tendant son verre. Pourquoi ne vous mettriez-vous pas un peu à l'aise ? Il fait chaud ici.

A vrai dire, il brûlait d'impatience de découvrir ce que dissimulait cette satanée jaquette trop grande pour elle…

— C'est inutile.

Avec une souplesse de chat, Rebecca se retourna vers l'évier pour éviter le face à face de plus en plus rapproché que Shane lui imposait.

— Quelle jolie vue ! s'exclama-t-elle en laissant son regard s'égarer par la fenêtre. Mais je suppose que vous ne devez plus y prêter attention.

Décidé à ne pas se laisser distraire, Shane s'approcha dans son dos et fit courir un doigt rêveur le long de sa nuque. Instantanément, Rebecca devint aussi inerte et silencieuse qu'une pierre.

— Vos cheveux sont splendides, susurra-t-il contre son oreille. Du moins, ce qu'il en reste… Heureusement, cette coiffure a le mérite de mettre en valeur les lignes de votre cou — si long, si blanc, si doux…

Avant de se retourner, Rebecca récita mentalement un extrait d'une table de logarithmes pour éteindre le début d'incendie qui était sur le point d'embraser ses sens.

— Que se passe-t-il ? demanda-t-elle avec une feinte innocence. Seriez-vous en train de tenter de me séduire, joli cœur ?

— Je suis juste un peu curieux, Becky.

Après lui avoir pris son verre des mains, Shane le déposa avec le sien sur le plan de travail derrière eux. Puis, en un geste aussi naturel que parfaitement exécuté, il vint l'emprisonner entre ses bras.

— Pas vous ? demanda-t-il.

— Les scientifiques sont curieux par nature, répondit Rebecca sans s'émouvoir.

A présent qu'il pouvait tout à loisir s'immerger dans son parfum, Shane comprit qu'il ne pourrait plus reculer. Sa peau exhalait une douce odeur de savon, relevée par une pointe de citron, dont il lui tardait de s'enivrer.

— Que diriez-vous d'une expérience nouvelle ? murmura-t-il.

— Une expérience ? Et quelle est votre hypothèse ?

Par miracle, Rebecca avait réussi à parler d'une voix claire et assurée. En aucune façon, il ne devait se douter de l'effet dévastateur que ses manœuvres avaient sur elle. Tout ce dont elle avait besoin, c'était d'un peu de temps pour se préparer à ce qui allait suivre.

Brisé dans son élan, Shane s'écarta pour la contempler d'un air interrogateur.

— Que voulez-vous dire ?

— Votre hypothèse, répéta-t-elle tranquillement. Les suppositions théoriques qui justifient votre vérification expérimentale.

De nouveau fasciné par la bouche de Rebecca, Shane ne pouvait détacher son regard de ses lèvres.

— Que diriez-vous de vérifier les conditions d'un rapprochement physique mutuellement satisfaisant ? suggéra-t-il.

Rebecca était parvenue à ne pas broncher, ce qui aurait d'un coup ruiné ses efforts pour paraître aussi froide et détachée que possible.

— Cela paraît intéressant, approuva-t-elle d'une voix neutre. Vous voulez m'embrasser ? Allez-y, joli cœur…

Trop heureux de l'aubaine pour risquer de lui laisser le temps de changer d'avis, Shane se fit un devoir de lui obéir. Tout d'abord, du bout des lèvres, il ne fit qu'effleurer doucement les siennes. Convaincu qu'un premier baiser pouvait décider de l'avenir d'une relation, il avait pour principe de ne jamais brusquer les choses, quelle que fût la partenaire et l'urgence qu'il ressentait à l'embrasser. Pourtant, il lui fut rapidement impossible de conserver cette maîtrise de lui-même.

Sa bouche se fit dévorante, ses lèvres impérieuses, pour découvrir et goûter avidement la douceur et la plénitude de ces lèvres dont la saveur lui semblait étrangement familière. Comment un premier baiser pouvait-il ressembler à ce point à des retrouvailles ? Shane en était encore à se le demander lorsqu'il se rendit compte que l'ardeur qu'il avait mise à l'embrasser ne semblait en rien avoir ému Rebecca. Figée devant lui, elle ne le touchait pas, n'émettait pas un son, ne lâchait pas un souffle. Sous les siennes, ses lèvres demeuraient totalement inertes.

Bien plus choqué par cette absence de réaction qu'il ne l'eût été par un rejet pur et simple, Shane s'écarta brusquement. Partagé entre la colère et l'inquiétude, il lut dans son regard un intérêt clinique pour ce qui venait de se passer. Un sourire amusé passa fugitivement sur les lèvres de Rebecca.

— C'était intéressant, lâcha-t-elle d'une voix coupante, qui claqua aux oreilles de Shane comme un coup de fouet. Je suis sûre que vous pouvez mieux faire.

S'il pouvait comprendre et accepter qu'une femme refuse de céder aux avances d'un homme — ce qui lui était de nombreuses fois arrivé — Shane tolérait mal d'être en butte à la moquerie. Et du diable si Rebecca, sous ses faux airs placides, n'était pas en train de se payer sa tête…

— Puisqu'il s'agissait d'une expérience, bougonna-t-il, disons qu'elle s'est soldée par un fiasco et n'en parlons plus.

Pour se préserver d'une humiliation plus grande encore, il tourna les talons et se dirigea vers la porte.

— J'ai du travail, annonça-t-il sur le seuil. Vous pouvez rester le temps qu'il vous plaira.

Du menton, il désigna le téléphone mural à côté d'une fenêtre.

— Quand vous aurez terminé, ne vous gênez pas pour appeler Cassie.

— Merci, répondit sobrement Rebecca. Alors à ce soir, chez Regan et Rafe ?

Pensivement, Shane hocha la tête et la considéra quelques instants avant de se décider à ouvrir la porte. Appuyée contre le plan de travail, elle avait repris son verre de thé glacé, comme si de rien n'était, et le sirotait à petites gorgées.

— Quoi qu'il arrive, dit-il, vous êtes le genre de femme à garder la tête sur les épaules, n'est-ce pas ?

— C'est en effet la réputation que j'ai.

Puis, élevant son verre dans sa direction, elle ajouta :

— Merci pour le verre, joli cœur. Et pour l'expérience…

Chapitre 4

Rebecca ne savait plus où donner de la tête. Comme par un coup de baguette magique, l'élégant salon de Regan et Rafe s'était transformé en nurserie... Partout autour d'elle, et sans se soucier le moins du monde de sa présence, ils étaient six — du nourrisson au pré-adolescent — à babiller, crier, s'interpeller, courir, tout à la joie de leurs retrouvailles.

Un amoncellement de jouets avait été renversé sur le tapis persan, où le petit Nate était engagé dans une compétition avec sa cousine Layla pour savoir qui bâtirait la plus belle tour en Lego. Au fur et à mesure des arrivées, Rebecca avait eu le temps de se familiariser avec les uns et les autres. Layla, légèrement plus jeune que Nate, était la fille de Jared et Savannah, tout comme Bryan, ce grand garçon aux cheveux bruns déjà doté à onze ans d'une carrure d'athlète.

Jared, l'aîné des frères MacKade, pouvait difficilement passer pour autre chose que l'avocat sérieux et efficace qu'il était, même s'il avait pris soin pour l'occasion de desserrer son nœud de cravate. Son épouse, quant à elle, était probablement la femme la plus impressionnante que Rebecca eût jamais rencontrée. Avec ses somptueux cheveux noirs rejetés sur ses épaules en une tresse lâche, avec ses grands yeux couleur chocolat pétillant mystérieusement dans un visage portant l'héritage d'ancêtres indiens, avec sa beauté toute en rondeurs de femme enceinte et heureuse de l'être, Savannah MacKade ressemblait à quelque déesse païenne de la fertilité.

Vincent, à peu près du même âge que Bryan, était aussi blond et fluet que son cousin était brun et costaud. Pourtant, ces deux-là formaient à l'évidence une paire inséparable, unie par une complicité sans faille. Sans cesse à l'affût, comme pour enregistrer le moindre détail valant la peine d'être noté, les yeux du fils de Cassie étaient de la même couleur gris fumée que ceux de sa mère. Quant à Emma, sa sœur de sept ans, petit elfe rieur sans cesse fourré dans les jambes de son beau-père, sa ressemblance avec Cassie était plus stupéfiante encore. Du haut de son imposante stature, derrière le badge de shérif épinglé sur sa chemise, Devin MacKade couvait sa famille d'un œil empli d'un amour évident, sans cesser de bercer sa petite dernière, Ally, contre lui.

Ce petit monde, engagé dans d'incompréhensibles et bruyantes conversations croisées, offrait aux yeux exercés de Rebecca un spectacle étonnant. Aussi mauvaise qu'ait pu être la réputation des frères MacKade dans leur jeunesse, comme Regan le lui avait rapporté, il ne lui avait jamais été donné d'observer des hommes aussi à l'aise et aussi impliqués qu'eux dans leur vie de famille.

Toute à ses réflexions, Rebecca sursauta en entendant Rafe s'adresser à elle, après avoir adroitement enjambé jouets et enfants pour lui apporter un verre de vin.

— Alors, lui dit-il avec un sourire. Que pensez-vous de notre bonne ville d'Antietam ?

— Beaucoup de bien, répondit-elle en lui rendant

son sourire. C'est une ville aussi charmante et tranquille que pétrie d'histoire.

— Hantée, également ? renchérit-il en mimant un frisson d'effroi.

— Personne ne semble en douter.

Avec un coup d'œil amusé en direction de Shane, qui venait de s'asseoir auprès de Savannah pour caresser affectueusement son gros ventre, elle crut bon d'ajouter :

— Du moins, presque personne…

— Dans la famille, intervint Jared, nous sommes mal placés pour jouer les sceptiques. Je crois que nous avons tous, un jour ou l'autre, été confrontés à des phénomènes inexplicables.

— Parle pour toi ! s'impatienta Shane.

Abandonnant le ventre de sa belle-sœur, il ramassa sa bière, qu'il avait posée près de lui, et en vida un bon tiers avant de poursuivre :

— En ce qui me concerne, je n'ai jamais fait la conversation à des gens morts depuis plus de cent ans…

Le sourire de Jared se fit sarcastique.

— Shane ne s'est jamais remis de la trouille que je lui ai flanquée quand nous étions gamins et que nous avions fait le pari de passer la nuit dans la maison Barlow, expliqua-t-il en s'adressant à Rebecca.

Inquiet de la lueur vindicative qui venait de passer dans le regard du plus jeune des MacKade, Devin crut bon de préciser :

— Shane n'était pas le seul à ne pas en mener large… Tu nous as fait la peur de notre vie avec tes bruits de chaînes, tes claquements de porte et tes bruits de pas à l'étage.

— Surtout, précisa Jared sans rire, que je n'étais même pas responsable de la moitié d'entre eux…

A cet instant, Regan pénétra en trombe dans la pièce, sanglée dans un tablier de cuisine trop grand pour elle et les joues roses d'excitation.

— Dîner dans cinq minutes ! lança-t-elle gaiement. Rafe, peux-tu battre le rappel des enfants ?

— Jason s'est endormi, répondit-il. Je l'ai déjà mis au lit. Je m'occupe de Nate.

— Et moi de Layla, proposa Shane en se levant souplement du sofa.

Penché sur Savannah, il ajouta avec un sourire goguenard, avant de s'éloigner :

— Telle que je te vois là, il va falloir au moins cinq minutes à ton mari pour t'aider à te relever.

— Jared ! lança-t-elle négligemment à son époux. N'oublie pas de lui botter les fesses, après le dîner…

— C'est comme si c'était fait, assura celui-ci en lui tendant une main secourable.

Dans une joyeuse et bruyante pagaille, l'assemblée convergea vers la salle à manger. La longue table en merisier était juste assez grande pour les accueillir tous, enfants et adultes. Quant au menu — antipasti accompagnés de petits pains italiens et spaghettis sauce marinara — Rebecca le trouva tout simplement délicieux.

Il y en avait assez pour nourrir une armée, mais la petite troupe occupée à festoyer joyeusement autour d'elle semblait bien décidée à faire un sort à tous les plats. Rebecca n'était guère habituée au brouhaha de ces repas de famille au cours desquels mille conversations s'échangent simultanément. Cela la plaçait de nouveau en position d'observatrice, mais elle n'en éprouvait aucun regret. Le bonheur des convives était tel qu'il ne pouvait qu'être contagieux.

Le jeu de ping-pong verbal qui se déroulait autour de cette table la laissait pourtant quelque peu songeuse. La parole circulait rapidement, comme une balle passée de l'un à l'autre, dans un échange sans fin. L'éloquence ou la drôlerie semblaient ici bien plus importants que la qualité du message à transmettre. Dans ce processus, la conversation empruntait de curieux détours — du dernier match de base-ball aux fêtes de la moisson en passant par les poussées dentaires des derniers-nés et les potins récents glanés en ville.

Un peu étourdie, Rebecca devait faire un effort pour ne pas décrocher. D'autant plus que les sujets de distraction ne manquaient pas, du verre de lait renversé malencontreusement par Emma aux spaghettis pleins de sauce utilisés comme des lassos par les deux plus jeunes, sans oublier le chien rôdant sous la table pour quémander sa part du festin.

Les souvenirs de repas de famille qu'elle gardait à la mémoire lui semblaient en comparaison beaucoup plus insipides. Chez les Knight, les sujets de discussion étaient soigneusement introduits et discutés l'un après l'autre, chacun prenant la parole à tour de rôle pour faire valoir son point de vue. A la table familiale, les repas duraient très précisément une heure au terme de laquelle chacun retournait sans regret à ses chères études…

Alors que l'ambiance avait encore grimpé d'un cran autour d'elle, la misère dans laquelle la plongeait ce constat raviva brutalement d'anciennes douleurs.

— Mangez ! lança soudain la voix de Shane à côté d'elle.

— Pardon ?

Rebecca tourna la tête et ouvrit machinalement la bouche pour avaler la bouchée de spaghettis qu'il lui présentait.

— Vous voyez, dit-il en faisant de nouveau tourner la fourchette avec agilité dans l'assiette de Rebecca, c'était facile. Essayez encore…

— Merci ! lança-t-elle sèchement. Je suis encore capable de me nourrir seule.

— On ne le dirait pas, rétorqua Shane. Vous avez à peine touché à votre assiette. Il est vrai que vous étiez bien trop occupée à regarder autour de vous comme si vous veniez d'atterrir dans une tribu perdue du fin fond de l'Amazonie…

Sans attendre sa réponse, il se pencha pour saisir la bouteille de valpolicella et remplit son verre.

— Selon vous, reprit Shane, est-ce à cela que ressemblent les MacKade d'un strict point de vue scientifique ?

— Pas du tout. Ils sont bien plus intéressants encore… Quel effet cela fait-il de faire partie d'une famille aussi unie et aussi vivante ?

— Je ne me suis jamais posé la question.

— Tout le monde se pose des questions sur sa famille, sur ses origines…

— Moi pas. C'est ainsi et voilà tout…

Comme pour clore définitivement le débat, Shane attrapa l'un des plats de spaghettis qui faisaient un nouveau tour de table et s'en servit une généreuse portion.

— Pourtant, insista Rebecca, vous qui êtes le plus jeune vous devriez…

La fourchette suspendue à deux doigts de ses lèvres, Shane tourna la tête pour la fixer dans les yeux.

— Seriez-vous en train de m'analyser, doc ?

— Pas du tout. J'essaie juste de faire la conversation. Si vous préférez, parlons plutôt de ce foin que vous vous apprêtez à couper…

— Je commence dès demain, expliqua-t-il après avoir avalé une bonne rasade de vin. Si vous voulez, vous pouvez venir m'aider. Aussi faibles et inexpérimentés soient-ils, je peux toujours avoir l'utilité d'une paire de bras supplémentaires…

— C'est une offre alléchante, rétorqua Rebecca, mais demain je vais être occupée à installer mon matériel dans la maison Barlow.

Avec une précision maniaque, elle s'efforça d'enrouler quelques spaghettis au bout de sa fourchette, avant de conclure :

— Mais plus tard, lorsque je serai installée chez vous, je pourrai sans doute trouver un peu de temps pour vous aider. En fait, j'aimerais beaucoup vous observer dans votre milieu naturel.

— Sans blague !

Un sourire carnassier au coin des lèvres, Shane laissa retomber sa fourchette et tendit le bras pour le poser sur le dossier de la chaise de Rebecca. Ce faisant, ses doigts avaient effleuré les épaules de la jeune femme, suscitant chez elle un frisson qui ne put lui échapper et qui apaisa quelque peu son ego encore meurtri par leur précédente rencontre.

Avec une lenteur délibérée, il se pencha plus près d'elle, et lui murmura à l'oreille :

— Si c'est vraiment ce que vous souhaitez, pourquoi ne pas me suivre chez moi ce soir ? Nous pourrions…

A l'autre bout de la table, Regan choisit ce moment pour l'interpeller d'une voix mi-sérieuse, mi-amusée.

— Shane ! Cesse donc de faire la cour à Rebecca, tu l'embarrasses…

Shane se redressa, une main posée sur le cœur, en une attitude d'innocence quelque peu théâtrale.

— Nous faisions juste un brin de conversation ! protesta-t-il avec véhémence. N'est-ce pas, Becky ?

Le nez plongé dans son assiette, Rebecca vivait assez mal le fait de se retrouver soudain au centre de l'attention collective.

— En quelque sorte, bredouilla-t-elle.

Trop enceinte pour apprécier à sa juste valeur la cuisine pourtant savoureuse de Regan, Savannah repoussa devant elle son assiette à demi pleine.

— Dès qu'il voit une jolie femme, dit-elle, Shane ne peut faire autrement que chercher à entrer en contact avec elle — dans tous les sens du terme… Les plus avisées font bien de ne pas le prendre au sérieux.

— Heureusement, Rebecca fait manifestement partie de celles-là, renchérit Devin. Cela fend le cœur de voir toutes ces femmes éplorées que notre don Juan laisse derrière lui.

— Hélas ! se lamenta Shane en secouant la tête d'un air dépité. J'ai tellement honte que j'ai du mal à me regarder dans la glace le matin. Pas plus tard que la semaine dernière, Louisa Tully est venue m'offrir une tarte aux pêches pour me montrer à quel point elle m'en veut. C'est vraiment démoralisant…

Rafe faillit s'étrangler de rire.

— Le problème, dit-il après avoir abondamment toussé dans sa serviette, c'est que la plupart des conquêtes de Shane s'imaginent pouvoir accéder à son cœur en passant par son estomac. En fait, il leur faudrait plutôt viser sa… Aïe !

Se tournant tout sourire vers son épouse, qui venait de lui décocher un vigoureux coup de pied sous la table, Rafe se justifia :

— Sa tête ! J'allais dire qu'il leur faudrait viser sa tête !

Au grand soulagement de Rebecca, des pleurs de bébé se firent entendre dans la pièce interrompant la discussion. Alors que chacun se levait pour vaquer à ses obligations, elle demanda à se charger de la vaisselle, faisant valoir que les uns et les autres allaient être trop occupés à s'occuper des enfants.

Après avoir promptement débarrassé la table, aidée de Bryan et Vince, elle pénétra dans la cuisine en souriant et retroussa ses manches pour s'attaquer à l'impressionnante pile de vaisselle qui l'attendait. Pour elle qui avait si rarement l'occasion de se livrer aux activités ménagères, c'était une tâche nouvelle et enthousiasmante.

Alors qu'elle étudiait d'un œil critique la disposition des paniers du lave-vaisselle, Shane pénétra dans la pièce, le sourire plus enjôleur que jamais et les mains au fond des poches.

— Pas de panique, Becky ! lança-t-il en se dirigeant vers l'évier. On dirait que j'arrive à temps pour donner un coup de main…

— Inutile, répondit-elle sans même un regard à son intention. J'ai la situation bien en main.

— Je suis votre seul recours, insista-t-il. Tous les autres sont occupés. Vous savez, ce n'est pas en contemplant ce lave-vaisselle toute la nuit qu'il va se remplir…

— Je travaille sur un rangement rationnel, expliqua-t-elle sans se formaliser. Impossible de faire entrer une telle quantité de vaisselle dans cette machine sans un minimum de méthode. Ce qui me pose problème, ce sont les grosses pièces…

Le voyant sourire et remplir l'évier d'eau chaude, elle s'étonna :

— Que faites-vous ? Je vous ai dit que je m'en chargeais.

Avec nonchalance, il se saisit de la queue d'une poêle qu'il agita devant lui.

— Je me charge de la vaisselle à la main, suggéra-t-il. Ne pensez-vous pas que les choses seront plus faciles ainsi ?

Après avoir considéré le problème sous un nouveau jour, Rebecca dut bien reconnaître qu'il avait raison.

— D'accord, dit-elle en se penchant pour ranger les premières assiettes. Vous semblez avoir plus d'expérience que moi en la matière.

Alors qu'elle reculait pour juger de l'efficacité du rangement, ses fesses vinrent heurter la hanche de Shane, occupé à frotter le fond d'une marmite avec énergie.

— Oh ! pardon ! s'excusa-t-elle vivement.

Confuse, elle se déplaça de l'autre côté du lave-vaisselle.

— Pas de problème, assura-t-il avec un clin d'œil. Les places sont chères autour de l'évier.

Durant quelques secondes, ils travaillèrent dans un

silence troublé seulement par le brouhaha de voix en provenance du salon et par le sifflotement occasionnel de Shane.

— Dites-moi, lança enfin Rebecca sans cesser de travailler. Séduire les femmes, est-ce une vocation ou un passe-temps pour vous ?

— C'est un plaisir.

— N'est-ce pas un peu gênant, dans une si petite ville, de jongler ainsi avec les conquêtes ?

— Je ne jongle pas, protesta Shane, sur la défensive. J'aime trop les femmes pour les considérer comme des balles en caoutchouc !

Rebecca hocha la tête d'un air songeur. Si elle voulait se lancer dans l'étude d'un homme à femmes, il allait falloir se montrer plus circonspecte.

— Ma question était maladroite, admit-elle. Je la formule différemment : n'est-il pas un peu gênant de multiplier les relations féminines dans une ville où manifestement chacun est au courant de tout ce qui se passe ?

— Pas si vous êtes sincère avec vous-même et avec les autres. Vous vous lancez dans une nouvelle étude ?

Rebecca se redressa pour protester. Mais comprenant qu'elle avait été sur le point de faire exactement ce qu'il lui reprochait, elle rougit et baissa les yeux.

— Je suis désolée, murmura-t-elle. Vraiment… C'est une habitude déplorable chez moi. Si vous me surprenez encore en flagrant délit, je vous autorise à me dire…

— Bas les pattes, Becky !

Shane n'avait fait preuve d'aucune autorité en prononçant ces mots, et Rebecca se mit à rire gaiement avant de glisser les derniers verres dans le lave-vaisselle.

— En tout cas, vous avez une merveilleuse famille, et j'ai beaucoup apprécié ce moment passé en leur compagnie, reprit-elle un moment plus tard.

— Malgré tous leurs défauts, je les aime moi-même beaucoup, répondit Shane en hochant la tête avec conviction.

— Cela se voit.

Sa tâche achevée, Rebecca croisa les bras et le regarda travailler, en souriant d'un air songeur.

— Et cela m'amène à croire, renchérit-elle, qu'il y a bien plus en vous qu'un joli cœur amateur de belles femmes. C'était vraiment fascinant d'observer cette complicité entre vous, de décoder ces petits signes qui en disent autant que les mots.

Après avoir déposé la dernière poêle dans l'égouttoir, Shane fit la grimace.

— Etait-ce à cela que vous pensiez quand je vous ai interrompue ? Etiez-vous en train d'observer la tribu MacKade dans son milieu naturel ?

Sur le visage de Rebecca, le sourire se fana instantanément, ce que Shane, du coin de l'œil, ne manqua pas de noter.

— Non, répondit-elle d'une voix sourde. Je pensais à tout autre chose.

Soudain incapable de rester en place, elle prit une éponge sur l'évier et se mit en devoir de nettoyer la plaque chauffante.

— Il faudra que nous reparlions des dispositions à prendre pour que je puisse travailler chez vous, reprit-elle avec un entrain un peu forcé. Je suis bien consciente que vous avez un emploi du temps chargé et une vie privée, sur lesquels je ne voudrais surtout pas empiéter.

Songeant avec amusement que c'était déjà fait, Shane s'abstint de répondre. Il ne pensait plus qu'à ce subit accès de mélancolie qu'il venait de surprendre sur son visage. Quels secrets Rebecca Knight cachait-elle au fond de ses beaux yeux dorés ? Une histoire triste et douloureuse, sans aucun doute. Sans être comme elle docteur en psychologie, il n'était guère difficile d'imaginer qu'une personnalité d'apparence aussi monolithique ne pouvait que masquer les tourments d'une femme beaucoup plus fragile et complexe…

— N'ayez crainte, dit-il enfin. J'ai promis à Regan de vous aider, et j'ai pour habitude de tenir mes promesses.

Rebecca haussa les épaules.

— Je préférerais avoir l'esprit libre et ne pas craindre en permanence de vous gêner, répondit-elle.

Lorsqu'elle se retourna vers lui, son regard avait retrouvé son assurance coutumière et ses lèvres s'ourlaient d'un sourire légèrement moqueur.

— De toute façon, conclut-elle, vous serez la plupart du temps par monts et par vaux, à faire les foins ou je ne sais quoi d'autre…

— Que voulez-vous dire par : « Je ne sais quoi d'autre », reprit Shane.

Il avait l'impression qu'elle était une fois de plus en train de se payer sa tête… Mais laquelle des deux Rebecca Knight le titillait-elle ainsi ? La brillante scientifique à l'esprit acéré ou la petite fille triste et perdue, dont il n'avait pu avoir qu'un bref aperçu ? Que ce fût l'une ou l'autre, il était certain à présent de sentir monter en lui un attrait croissant pour ces deux facettes de sa personnalité.

Abandonnant sa vaisselle où elle en était, Shane ramassa un torchon et se sécha les mains. Conscient d'être sur le point de commettre une erreur, il se sentait pourtant incapable d'y résister. Peut-être était-ce à cause de la blancheur affolante de ce long cou gracieux qui semblait le narguer, peut-être à cause de ces yeux qui recelaient toutes sortes d'émotions insaisissables, ou peut-être n'était-ce que la réponse de son ego meurtri… Quelle qu'en fût la raison, il se sentait poussé à tester une fois encore la résistance de Rebecca — ou peut-être la sienne.

Comme dans un état second, il la rejoignit à pas de loup. Suivant son instinct, il approcha ses lèvres de sa nuque et laissa ses dents se refermer doucement sur cette plage de chair tendre et offerte. Aussitôt, il la sentit tressaillir et venir se cabrer contre lui, dans un frisson qui la secoua de la tête aux pieds. Aussi surpris que réjoui de la voir répondre aussi intensément à son initiative, il la saisit fermement aux épaules et l'incita à se retourner.

— Mon hypothèse, murmura-t-il en la dévisageant avidement, n'était peut-être pas si mauvaise après tout…

Sans lui laisser le loisir de protester, Shane plaqua ses lèvres sur les siennes, pour un baiser d'une habileté diabolique et d'une intensité dévastatrice. Rebecca, qui n'avait pas eu le temps de s'y préparer, sentit sa tête tourner, ses genoux fléchir, son sang dévaler comme un torrent en crue dans ses veines. Jamais, au cours de toute son existence, autant de sensations affolantes ne s'étaient bousculées en elle à la fois.

Mais si son cerveau saturé ne pouvait y suffire, son corps semblait prendre le relais de lui-même. Tétanisée, elle entendit un grognement de contentement impudique monter de son ventre et s'échapper de sa gorge. Elle ne pouvait rien faire d'autre que se laisser entraîner par cette vague de désir qui la poussait, avec une soudaineté et une force stupéfiantes, vers cet homme dont elle avait pourtant toutes les raisons de redouter le pouvoir de séduction.

Avec un sentiment de triomphe, goûtant intensément sa revanche, Shane redoubla d'ardeur et d'audace. La femme qu'il serrait entre ses bras n'avait plus rien à voir avec celle qui avait stoïquement supporté ses avances quelques heures auparavant. Il aurait pu s'immerger pour toujours dans cette bouche si tendre, si soyeuse, si chaude, qui s'offrait aux caresses de ses lèvres, de sa langue, de ses dents, avec une totale impudeur.

L'esprit chauffé à blanc, Shane laissa ses mains s'aventurer sous le sweat-shirt de Rebecca, découvrant avec stupéfaction sa peau nue sous ses paumes. Affamées, ses mains remontèrent jusqu'à deux petits seins ronds et fermes, dont la pointe se dressa aussitôt sous la caresse habile de ses pouces.

Shane sentit Rebecca se cabrer contre lui. Au comble de l'excitation il s'abreuvait entre deux baisers à son souffle affolé. Soudain, les bras qu'elle avait passés autour de son cou s'amollirent et retombèrent inertes contre ses flancs, en une attitude de soumission passive qui le ravit autant qu'elle l'inquiéta. Les mains agrippées au plan de travail contre lequel il la retenait prisonnière, il se recula pour l'observer.

Dans le visage au teint blafard de Rebecca, les joues

étaient empourprées, les yeux hermétiquement clos. Rouges et gonflées comme un fruit mûr, ses lèvres étaient entrouvertes pour laisser filtrer une respiration qui n'était plus qu'un souffle haletant. Il songea qu'au plus fort des transports amoureux, elle ne lui aurait sans doute pas offert d'autre visage…

Puis elle ouvrit les yeux, et il eut un coup au cœur en découvrant le regard vague, troublé, un peu effrayé, qu'elle posait sur lui. Autant pour marquer sa victoire que pour se protéger du désir intense qui le tenaillait toujours, Shane lança d'une voix goguenarde :

— Eh bien, eh bien… On dirait que notre expérience a connu cette fois un plus grand succès.

Incapable de reprendre son souffle, Rebecca ne pouvait prononcer le moindre mot.

— Pas de théorie, cette fois, doc ?

Shane ne savait pourquoi, mais il sentait une vague colère monter en lui. Une colère qui ressemblait fort à une intense frustration. Inerte, aphone, et de plus en plus effrayée, Rebecca se contentait de demeurer tremblante et soumise dans le piège de ses bras refermé autour d'elle.

— Peut-être, suggéra-t-il d'une voix rauque, faudrait-il renouveler l'expérience ?

— Non !

Rebecca laissa échapper un soupir, songeant avec soulagement qu'elle était parvenue par ce simple mot à briser le charme qui l'empêchait de reprendre ses esprits.

— C'est inutile, reprit-elle. Je pense que vous avez amplement atteint votre but.

S'il n'était plus très sûr du but qu'il avait poursuivi à l'origine, Shane savait cependant que l'avoir atteint ne lui suffirait plus. A présent, il désirait Rebecca avec une voracité presque douloureuse, qu'il ne s'était jamais connue. Lui qui considérait le désir comme quelque chose d'aussi simple et naturel que la respiration avait du mal à se faire à cette douleur lancinante qui avait pris naissance dans son ventre et ne le quittait plus.

Comme si elle avait pu lire en lui, Rebecca devint plus pâle encore.

— Lâchez-moi ! lança-t-elle dans un souffle.

— Quand je voudrai, grogna Shane, les mâchoires serrées. Pour l'instant, j'attends vos hypothèses — à moins que nous ne puissions passer tout de suite aux conclusions ? Je vous l'ai dit, je suis curieux de nature. Quelle sera votre réaction, la prochaine fois que je vous embrasserai ? Et quelle femme trouverai-je dans mes bras, lorsque nous ferons l'amour ?

Rebecca fut sauvée de ce qui ressemblait de plus en plus pour elle à un cauchemar par le bruit de la porte à double battant s'ouvrant à la volée derrière eux. Avec un intense soulagement, elle vit Rafe se figer sur le seuil et évaluer la situation d'un coup d'œil.

— Mais bon sang, Shane ! s'écria-t-il en s'élançant vers eux.

Hors de lui, Shane ne tourna même pas la tête vers lui :

— Fous le camp ! cria-t-il.

— Je suis chez moi ! reprit Rafe.

— Alors c'est nous qui allons sortir, conclut Shane en prenant la main de Rebecca.

Il commençait à l'entraîner vers la sortie lorsqu'elle trouva enfin la force de résister et de se libérer de son emprise.

— Laissez-moi !

Ce fut tout ce qu'elle fut capable de dire avant de s'éclipser le plus dignement qu'elle le put, sous les yeux des deux hommes médusés.

— Pour l'amour de Dieu, qu'est-ce qui t'a pris ? s'énerva Rafe en rejoignant son frère au centre de la pièce. Elle était blanche comme une morte. Cela ne te suffit plus de séduire les femmes, à présent, il faut aussi que tu leur fasses peur ?

— Je ne lui ai pas fait peur.

La protestation n'était que de pure forme. Incapable de soutenir le regard furieux de Rafe, Shane baissa les yeux. Son frère avait raison. Non seulement il avait effrayé Rebecca, mais en plus, pour être honnête, il en avait éprouvé une certaine jouissance. Il eut honte soudain.

— Je ne… je ne voulais pas, balbutia-t-il. Je ne sais pas ce qui m'a pris, j'ai… Je crois que j'ai été dépassé par les événements.

Dans un geste rageur, il se frappa violemment le front du plat de la main et fit un tour sur lui-même en se mordant les lèvres.

— Peut-être ferais-tu mieux de garder tes distances, suggéra Rafe. Le temps que tu te ressaisisses.

— Oui, murmura-t-il. Tu as sans doute raison.

Rafe, qui s'était attendu à des protestations, examina son frère plus attentivement. A présent qu'il avait eu le temps de se calmer, il lui semblait que le visage de Shane était plus livide encore que celui de Rebecca lorsqu'elle était sortie.

— Ça va aller ? s'inquiéta-t-il d'une voix pleine de sollicitude.

— Je ne sais pas…

Comme un boxeur sonné au premier round, Shane secoua la tête, incapable de comprendre ce qui lui arrivait.

— C'est la pire, lâcha-t-il dans un souffle en cherchant le regard de Rafe. Je crois que c'est la pire… et la meilleure de toutes les femmes que j'ai connues jusqu'à présent.

Chapitre 5

Parce qu'elle était avant tout une femme méticuleuse, il fallut à Rebecca plusieurs heures pour installer son matériel dans la suite que Cassie avait mise à sa disposition. Elle regrettait de ne pouvoir investir tout l'étage de ses caméras et de ses capteurs, mais elle comprenait que les autres résidents auraient peu apprécié un tel déploiement de forces.

Le fait d'occuper la chambre qui avait été autrefois celle de Charles Barlow compensait largement cette petite déception. Les hautes fenêtres offraient une jolie vue sur la pelouse égayée de massifs de fleurs, sur la route en contrebas, ainsi que sur les toits et les cheminées de la ville d'Antietam qui se profilaient à l'horizon.

Sans avoir à fournir de gros efforts d'imagination, elle pouvait se représenter le maître de maison se campant plusieurs fois par jour devant ses fenêtres, pour se repaître du spectacle avec un sentiment de toute-puissance. Tout ce qu'elle avait pu lire à propos de Charles Barlow confirmait qu'il avait dû être le genre d'homme à considérer la ville comme sa propriété personnelle, et tous ses habitants comme ses serviteurs.

Elle aurait souhaité sentir entre ces murs les rémanences de son âme sombre, les relents de son égoïsme et de sa cruauté. Mais elle devait bien avouer ne rien voir d'autre autour d'elle qu'une charmante enfilade de pièces, encombrées à présent par la technologie de pointe qu'elle y avait installée.

La frustration de n'avoir assisté depuis son arrivée à aucun de ces phénomènes paranormaux que les habitants de ces lieux disaient connaître régulièrement ne la quittait plus. Fallait-il donc être un MacKade — de naissance ou par alliance — pour ressentir les énergies invisibles qui traversaient la vieille demeure ? C'était frustrant, presque humiliant, de ne discerner que la plus tranquille des réalités là où d'autres affirmaient avoir vu l'autre monde…

Une fois de plus, la science était son dernier recours. Sans regarder à la dépense, elle s'était offert l'équipement le plus moderne et le plus approprié pour une mission d'observation menée par une personne seule. Si certaines femmes aimaient s'offrir des bijoux et des fourrures, elle préférait quant à elle se payer des fleurons de haute technologie…

Heureusement, l'argent n'avait jamais été un problème pour elle, et ne risquait pas d'en devenir un, quand bien même elle choisirait de ne pas reprendre son travail au terme de son congé sabbatique. Cette indépendance financière lui permettait de s'adonner librement à son hobby, de consacrer tous ses efforts à mettre en place cette vie nouvelle à laquelle elle aspirait.

Bon nombre de ces collègues l'avaient considérée avec des yeux ronds lorsqu'elle leur avait fait part de son projet. Dans le cercle universitaire restreint où elle évoluait, la rumeur avait vite enflé lorsqu'elle avait parlé des recherches qu'elle comptait mener.

Elle préférait ne pas penser à ce que serait la réaction

de ses parents si jamais ils venaient à l'apprendre. Elle était résolue à laisser le passé derrière elle. Ce qu'elle voulait, c'était aller de l'avant, explorer de nouveaux domaines, de nouvelles terres, de nouvelles sensations. Tout ce qu'elle avait à perdre dans l'aventure, c'était la réputation d'intellectuelle rigoureuse, efficace et effroyablement prévisible qui lui collait à la peau depuis trop longtemps, et dont elle ne voulait plus.

Pourtant, si elle avait tiré une leçon des événements de la veille, c'était bien qu'elle n'était pas encore prête à assumer certains aspects de cette personnalité nouvelle dont elle découvrait les limites. Elle s'était montrée imprudente, trop sûre d'elle-même, et Shane MacKade s'était chargé de le lui faire comprendre de la plus humiliante manière. Comment avait-elle pu croire un seul instant qu'elle était apte à tenir tête à un homme aussi dangereux pour elle ?

Il lui avait suffi de la prendre par surprise pour qu'aussitôt elle se transforme en une pauvre folle tremblante et désemparée… Après avoir été terrifiée par lui, elle avait passé quelques heures à le maudire. Mais elle était bien trop honnête et rationnelle pour le blâmer très longtemps. C'était elle qui avait simulé cette confiance en elle. Elle, encore, qui l'avait laissé mettre en œuvre son entreprise de séduction, convaincue qu'elle était de taille à y faire face. Comment lui en vouloir de l'avoir prise au mot ?

A l'avenir, il lui faudrait se montrer plus prudente, et sans doute revoir ses plans pour pouvoir travailler à la ferme. Shane était un homme trop physique, trop sensuel, trop séducteur, pour qu'une femme comme elle, qui commençait à peine à explorer sa propre sexualité, pût se risquer à le côtoyer longtemps. De même, il lui faudrait se montrer vigilante et ne pas laisser son esprit s'attarder sur les effets stupéfiants qu'avaient eus sur elle ses caresses et ses baisers.

Laissant un soupir s'échapper de ses lèvres, Rebecca s'assit devant son ordinateur et lança le programme. Pour rien au monde, elle ne laisserait les images torrides qui l'avaient hantée une partie de la nuit lui envahir de nouveau l'esprit. Et pour y parvenir, le mieux était encore de s'immerger dans les notes qu'il lui fallait prendre en vue du livre qu'elle souhaitait écrire sur les fantômes d'Antietam.

Elle travaillait depuis une bonne demi-heure, plongée dans les mots que ses doigts agiles faisaient courir sur l'écran, lorsque la sensation d'une présence dans son dos la fit se retourner, avec un sentiment d'appréhension mêlé d'espoir. Mais, au lieu d'un fantôme, ce fut un elfe qu'elle découvrit sur le seuil de sa chambre, un petit elfe blond au visage de poupée de porcelaine, qui la dévisageait de ses grands yeux gris.

— Bonjour, dit Emma. La dame ne vient jamais ici, tu sais…

Les mains toujours posées sur le clavier, Rebecca lui adressa son sourire le plus rassurant.

— Hello, Emma. L'école est finie ?

— Oui. Maman m'a demandé de te dire qu'il y a du café et des cookies dans la cuisine si tu veux.

Très à l'aise, la petite fille pénétra dans la pièce, lançant autour d'elle des regards curieux.

— Tu as beaucoup de machines…, dit-elle en hochant la tête avec respect.

— C'est vrai, reconnut Rebecca. Et toi, j'imagine

que tu as beaucoup de jouets… Alors disons que ces machines sont mes jouets à moi. Qui est cette dame dont tu parles ?

— Celle qui vit ici. Elle pleure beaucoup, comme maman le faisait avant. Tu ne l'as pas entendue ?

— Non… Quand ?

Emma lui adressa un sourire indulgent.

— Il y a une minute, quand tu étais en train de taper sur ta machine.

Rebecca sentit un frisson glacé le long de sa colonne vertébrale.

— Elle pleure beaucoup, répéta l'enfant en hochant la tête avec compassion.

Emma vint vers Rebecca, se jucha d'autorité sur ses genoux et s'absorba dans la lecture des derniers mots affichés à l'écran.

— Parfois, reprit-elle, je vais dans sa chambre, et elle arrête de pleurer. Maman dit qu'elle aime la compagnie.

— Je vois…

Malgré la curiosité qui la tenaillait, Rebecca s'efforçait de garder son calme et de parler sur un ton léger.

— Et quand tu l'entends pleurer, quel effet cela te fait ?

Emma fit une grimace.

— Ça me rend triste. Mais maintenant, je sais qu'on se sent parfois mieux après avoir pleuré.

Touchée par tant de candeur, Rebecca ne put retenir un sourire ému et approuva en lui caressant les cheveux :

— C'est vrai.

— Avec tes caméras, est-ce que tu vas réussir à filmer la dame ?

— Je l'espère. L'as-tu déjà vue ?

— Non. Mais je pense qu'elle doit être belle, parce qu'elle sent bon. Toi aussi, tu sens bon…

— Merci… Tu aimes vivre dans cette maison, Emma, avec la dame et tout ce qui s'y passe ?

— J'adore ça. Mais nous sommes en train de construire une maison, près de la ferme, parce que nous sommes une grande famille, maintenant que le shérif MacKade a épousé maman et qu'il est notre papa. Maman va continuer à travailler ici, et elle m'a dit que je pourrai y venir quand je voudrai. Est-ce que tu écris des histoires ? Mon frère Vincent écrit des histoires, lui aussi…

— Non, répondit Rebecca en faisant défiler ses notes à l'écran. Tu vois, c'est comme un journal, des choses dont je veux me souvenir et que je note pour ne pas les oublier. Mais quand j'aurai assez de notes et que j'aurai terminé mon travail ici, je compte bien écrire un livre sur Antietam.

— Et moi ? demanda Emma en levant vers elle un visage rayonnant d'espoir. Je serai dedans, moi aussi ?

— Avec ce que tu viens de me raconter, répondit Rebecca, je pense qu'il n'y a aucun doute là-dessus…

Soudain songeuse, Emma nicha sa joue dans le cou de Rebecca qui sentit son cœur chavirer. Elle avait peu de contacts avec les enfants, et éprouvait même une vague crainte en leur présence. Son enfance stricte lui avait toujours fait craindre de ne pas parvenir à les comprendre, et elle était bouleversée de découvrir qu'il était si simple de se laisser toucher par eux.

Comme traversée par une brusque illumination, Emma se redressa, les joues roses et les yeux brillants.

— Je m'appelle Emma MacKade, dit-elle. Le juge

a dit que j'avais le droit de m'appeler comme ça maintenant. Il faut que tu te le rappelles pour me mettre dans ton histoire…

— Je te le promets ! jura solennellement Rebecca en éteignant sa machine et en reposant la fillette sur le sol. Et maintenant, conclut-elle en lui tendant la main, que dirais-tu d'aller goûter aux cookies de ta maman ?

En quittant la Résidence, Rebecca n'avait nullement eu l'intention de se diriger vers la ferme — consciemment, du moins… Après quelques heures passées à guetter en vain les fantômes de la maison Barlow, le besoin s'était simplement imposé à elle de prendre l'air, de se dégourdir les jambes, de se divertir l'esprit.

Mais avant qu'elle ait pu se rendre compte que ses pas l'y avaient menée, elle émergeait des bois et traversait les champs qui entouraient la maison familiale des MacKade. Elle n'aurait su dire pourquoi, mais de l'avoir de nouveau sous les yeux l'emplissait d'une joie sans mélange. Vaguement, elle espérait qu'étant donné l'heure tardive Shane ne serait pas dans les parages. Sachant que le travail de la ferme commençait tôt le matin, il était raisonnable d'espérer qu'il serait terminé à cette heure du jour, et que le maître de maison vaquerait à d'autres occupations, professionnelles ou non…

Avant de se replonger dans ses notes et dans la surveillance de ses équipements, elle avait réellement besoin d'un peu de solitude. Aussi préféra-t-elle passer au large de la maison pour se diriger d'un pas nonchalant vers les pâtures qui s'étendaient à flanc de colline.

Elle aimait les odeurs que la terre, gorgée de soleil,

exhalait à profusion avant le crépuscule. Elles lui semblaient tellement familières qu'elles en devenaient étranges… D'où pouvait bien provenir la curieuse sensation de déjà-vu qui s'emparait d'elle dès qu'elle approchait de cet endroit ? D'une hypothétique vie antérieure ? La réincarnation était encore un sujet d'investigation vierge pour elle, sur lequel il lui faudrait se pencher bientôt…

Autour d'elle, l'herbe haute s'égayait d'une quantité de fleurs des champs — petites étoiles bleues, calices d'or, bonnets blancs — qui semblaient danser sous l'effet de la brise qui les agitait. Cédant à l'impulsion de se pencher pour en faire un bouquet, Rebecca s'étonna avec un pincement au cœur de n'avoir jamais goûté jusqu'alors au plaisir simple de déambuler sans but au milieu des champs.

Ses études de botanique ne lui avaient donné qu'un aperçu fort théorique des charmes de la nature. Décidant qu'il n'était pas trop tard pour compenser ce manque, c'est le cœur léger et sans le moindre remords qu'elle s'absorba dans cette activité qui lui aurait semblé tellement dérisoire et futile en d'autres temps.

Les bras emplis de fleurs, elle déambulait ainsi depuis quelques minutes lorsqu'elle sentit sa gorge se serrer, son pouls s'accélérer et ses jambes faiblir. L'espace d'un instant, elle se sentit happée par une tristesse tellement intense, par un sentiment si poignant de désespoir et de solitude, qu'elle faillit tomber à genoux sur le sol.

Elle s'accrocha aux fleurs serrées contre elle comme à une bouée et lança autour d'elle des regards inquiets. Mais en dépit de l'angoisse qui l'habitait, le tableau bucolique dans lequel elle évoluait semblait toujours aussi paisible. Les fleurs continuaient de danser sous le vent, les oiseaux de chanter dans les bois tout proches. Le soleil encore chaud lui réchauffait la peau, mais ne pouvait rien pour dissiper le poing de glace qui semblait s'être refermé sur son cœur.

Qu'aurions-nous pu faire d'autre ? se demanda-t-elle soudain, frissonnant d'une douleur qui n'était pas la sienne mais qui lui semblait pourtant tellement réelle.

Les bras de Rebecca retombèrent pesamment contre ses flancs, laissant choir dans l'herbe à ses pieds le bouquet de fleurs sauvages. Les larmes, qui avaient afflué d'un coup à ses yeux, débordèrent pour se répandre sur ses joues. Passablement effrayée, elle se demanda d'où lui était venue cette étrange question, et quelle pouvait en être la signification…

Aussi prudente qu'un soldat perdu dans un champ de mines, tournant le dos aux fleurs abandonnées, elle enjamba l'herbe haute pour s'éloigner aussi vite que possible. Elle n'avait pas encore atteint la lisière du pré que déjà les émotions puissantes qui l'avaient bouleversée s'étaient effacées, lui faisant douter de les avoir jamais connues. Peut-être cette angoisse passagère n'avait-elle été que le fruit de sa propre culpabilité. Elle était si peu femme à cueillir des fleurs dans les champs qu'elle ne pouvait écarter la possibilité d'un message de son subconscient, alerté par l'étrangeté de la situation et inquiet de la voir se conduire ainsi.

Pouvait-on refaire sa vie, se demanda-t-elle avec anxiété, pouvait-on se bâtir une autre identité, lorsqu'on avait reçu comme elle en héritage dans son patrimoine génétique le virus de la connaissance ? Bon gré mal gré, Rebecca était taillée pour l'étude, les livres, le recoupement des faits, la théorie… Née dans ce milieu, élevée dans ce but, elle était le brillant rejeton d'un couple de parents qui l'avaient si bien conditionnée et placée sur les rails choisis par eux qu'il lui avait fallu devenir adulte avant d'oser la moindre remise en cause.

Son acte de rébellion lui-même portait la marque de son esclavage. Car si elle s'écartait des sentiers battus de la tradition universitaire en choisissant d'étudier le paranormal, c'était encore par le biais de l'étude scientifique que s'exprimaient ses velléités d'indépendance… A l'instant même, ne devait-elle pas lutter contre l'envie pressante qui s'était emparée d'elle de regagner au plus vite la maison Barlow, ses précieuses notes, son équipement rassurant ?

Plongeant les mains au fond de ses poches, Rebecca tourna le dos au chemin. Quoi qu'il pût lui en coûter, décida-t-elle en donnant un coup de pied rageur à un caillou, elle terminerait d'abord sa promenade. Si elle le désirait, elle était parfaitement libre de musarder des journées entières, le nez au vent. Et s'il le fallait pour parvenir à se libérer de ses chaînes, elle irait même jusqu'à se rouler dans l'herbe, ou à commettre quelque autre folie du même ordre…

Elle en était encore à ruminer sa rancœur contre elle-même lorsque le spectacle d'un troupeau de vaches se hâtant en direction d'un hangar attenant à l'étable attira son attention. Emportée par sa curiosité, elle s'approcha lentement, prenant garde cependant de conserver ses distances. Mais plus elle se rapprochait, plus les bêtes semblaient indifférentes à sa présence, toutes occupées qu'elles étaient à brouter quelques touffes d'herbe avant de regagner l'étable.

Alors qu'elle n'était plus qu'à quelques mètres de la porte près de laquelle les vaches s'agglutinaient, la voix de Shane chantant quelque complainte ancienne lui parvint, forte et mélodieuse. Attirée irrésistiblement par la mélodie, comme les enfants par le joueur de flûte de la fable, Rebecca oublia sur-le-champ ses velléités de solitude et passa le seuil de la salle de traite. Bien qu'elle ne se fût attendue à rien de particulier, la mécanisation poussée et la parfaite propreté du lieu la frappèrent immédiatement.

Le bruit caractéristique d'un compresseur, les tuyaux et les machineries étincelantes, évoquaient bien plus un environnement industriel que le monde agricole. Grimpées sur une longue estrade qui plaçait leur pis à hauteur d'homme, la tête coincée dans des mangeoires où elles se régalaient d'une sorte de farine épaisse, une douzaine de bêtes patientaient tandis que s'agitait en cadence l'efficace dispositif pneumatique qui les soulageait de leur lait.

Sanglé dans un de ses habituels débardeurs blancs, Shane évoluait dans ce cadre comme un poisson dans l'eau. Tout à ses occupations, il n'avait pas remarqué la présence de Rebecca derrière lui. Avec un intérêt croissant, elle le regarda ôter la trayeuse du pis d'une bête et plonger les embouts dans un flacon empli d'un liquide bleu.

— C'est pour désinfecter, que vous faites cela ?

Voyant Shane sursauter et se retourner vers elle en jurant comme un charretier, Rebecca porta une main à ses lèvres, bien trop tard pour retenir la question qui venait de lui échapper.

— Désolée, murmura-t-elle avec un sourire contrit. Je

ne voulais pas vous surprendre. Je me promenais et j'ai vu les vaches se diriger vers l'étable. Je me demandais ce qui pouvait bien les attirer ici...

— La même chose que les autres jours, répondit Shane sèchement, la gourmandise et la nécessité de se débarrasser de leur lait...

Surpris par l'intrusion de Rebecca, il n'arrivait pas à se ressaisir. Alors qu'il s'était juré de ne plus l'approcher — du moins pendant quelques jours — pourquoi fallait-il qu'elle s'impose à lui, au beau milieu de sa salle de traite, plus mignonne et désirable que jamais, avec son insatiable curiosité et ses beaux yeux dorés ?

— Où s'en va le lait ? s'enquit Rebecca en suivant des yeux les tuyaux de la trayeuse. Dans un réservoir réfrigéré, je suppose.

— Exact.

Les bras croisés devant elle, Shane laissa s'échapper de ses lèvres un long soupir. Si elle espérait un cours sur la filière laitière, elle allait devoir s'en passer. Il se sentait bien plus d'humeur, quant à lui, à lui proposer quelques travaux pratiques sur l'art du baiser...

— Que faites-vous ici, Rebecca ?

— Je vous l'ai dit, répondit-elle en évitant soigneusement son regard. Je me promenais.

Un petit sourire moqueur s'attarda sur les lèvres de Shane.

— Et tout d'un coup, reprit-il, vous avez eu envie de dire bonjour à mes vaches...

— Je n'avais pas d'idée précise en venant ici.

— Permettez-moi de vous dire que cela ne vous ressemble guère...

A son tour, Rebecca poussa un soupir et s'obligea à le

regarder dans les yeux. Pour être honnête, il lui fallait bien reconnaître que la possibilité de le rencontrer sur sa route n'avait pas été tout à fait absente de ses pensées.

— Un point pour vous, reconnut-elle. J'avais sans doute besoin de clarifier la situation. Puisque je dois travailler ici, je ne peux pas me permettre de rester en froid avec vous.

— Mmm..., grogna Shane.

Il avait beau la scruter attentivement et mettre en alerte toutes ses facultés d'observation, il ne parvenait pas à déterminer à laquelle des deux Rebecca Knight il était en train de parler.

— Je suppose que vous désirez des excuses ? poursuivit-il. J'admets que je me suis conduit comme un imbécile. Je vous demande de me pardonner...

— Inutile.

Ce simple mot et la façon qu'elle avait eue de le prononcer suffirent à ramener le sourire sur le visage de Shane. Il avait beau s'en défendre, il éprouvait une affection grandissante pour ce petit menton qui pointait d'un air têtu chaque fois que sa propriétaire était émue.

— Est-ce que cela signifie que vous désirez renouveler l'expérience ? demanda-t-il en s'approchant d'un pas. J'ai justement une envie pressante de vous embrasser...

— Je suis certaine que vous en ressentez l'envie chaque fois que vous croisez une femme, répondit-elle sans s'émouvoir.

— Peut-être. Mais il se trouve que c'est vous que j'ai en face de moi.

— Si j'ai un jour envie d'être embrassée par vous, n'ayez crainte, je vous le ferai savoir.

Jugeant préférable de mettre un peu de distance entre

eux, Rebecca se retourna et fit quelques pas pour étudier le panneau de contrôle de la trayeuse.

— Le fait est, reprit-elle, que tant qu'il y aura entre nous cette…

— Cette attirance ? suggéra Shane.

— … Cette tension, il me sera difficile de travailler chez vous. Or, j'ai réellement besoin, dans le cadre de mon projet, de passer quelques jours ici.

Prenant appui sur la table de commande, Rebecca fit volte-face, décidée à crever l'abcès.

— Et je n'y arriverai pas si je dois être en butte à d'incessantes avances non sollicitées, conclut-elle.

Bien loin de provoquer sa colère, cette remarque eut le don de déclencher l'hilarité de Shane.

— D'incessantes avances non sollicitées ! répéta-t-il après avoir repris son souffle. Bon sang ! J'adore votre façon de parler quand vous voulez être sérieuse… Vous en avez d'autres comme celle-là ?

— Sans doute, rétorqua Rebecca d'un air pincé, êtes-vous plus habitué aux femmes qui se prosternent à vos pieds ou à celles qui vous portent des tartes aux pêches… Avant de continuer à vous fréquenter, je désire simplement être certaine que vous comprenez le sens du mot *non*.

Cette fois, Shane ne riait plus, et Rebecca vit son éternel sourire bon enfant virer au rictus de dépit.

— Si mon frère n'était pas intervenu, lança-t-il en la coiffant d'un regard de défi, je vous certifie que nous aurions terminé la nuit ensemble…

Les couleurs que le feu de la discussion avait amenées aux joues de Rebecca s'effacèrent d'un coup. Malgré la colère qu'elle sentait monter en elle, ce fut d'une voix parfaitement ferme et maîtrisée qu'elle lui répondit.

— Il me semble que vous surestimez vos capacités, joli cœur.

— Pas autant que vous, Becky ! Hier soir, vous me désiriez autant que je vous désirais. Sans doute avez-vous été surprise de le découvrir — je l'ai été autant que vous d'ailleurs. Mais le fait est que vous aviez tout d'une victime consentante. Osez dire le contraire…

Rebecca ouvrit la bouche pour lui répondre, mais son cerveau à cours de mensonges refusa de lui fournir la réplique adéquate.

— Très bien, admit-elle finalement. J'admets que j'ai été intéressée l'espace d'un instant.

Un nouveau rire moqueur secoua Shane.

— Vous avez le sens de l'euphémisme ! s'exclama-t-il. *Intéressée* n'est pas exactement le mot que j'aurais choisi.

— Je ne vous permets pas de me dire ce que je ressens, reprit Rebecca un ton plus haut. Laissez-moi vous dire que si vous comptez m'inscrire à votre tableau de chasse, il va falloir modifier vos plans…

— Puisque vous le dites.

Comme pour mettre un terme à cette discussion, Shane regagna le banc de traite, où les bêtes commençaient à s'agiter. Tout en travaillant à les libérer de la trayeuse, il lança à Rebecca par-dessus son épaule :

— Je ne suis pas si obtus que j'en ai l'air, vous savez. *Non* est un mot que je suis parfaitement à même de comprendre, dès lors que vous le prononcez clairement.

Désireuse d'arriver à un compromis, Rebecca s'efforça de se calmer pour saisir la perche qu'il lui tendait.

— Très bien, approuva-t-elle. Dans ce cas nous pourrions…

— Mais je vous préviens, l'interrompit-il. Il va vous falloir rester sur vos gardes. Vous avez ma parole que je ne tenterai pas de vous embrasser contre votre gré, mais vous devez savoir que je ne suis pas homme à ne pas relever un défi lorsqu'il se présente. Et celui de vous séduire malgré vous me paraît en être un de taille. Vous tenez absolument à venir jouer à la chasse aux fantômes dans ma maison ? A vos risques et périls…

— Vous ne me faites pas peur.

Le sourire narquois de Shane s'élargit sur ses lèvres.

— Bien sûr que si je vous fais peur. A l'instant même, vous en êtes encore à vous demander ce que vous allez bien pouvoir faire pour vous protéger de moi…

— En fait, rétorqua Rebecca, j'étais en train de me demander comment vous pouvez vous débrouiller avec un ego aussi surdimensionné…

— Aussi bien que vous avec l'ordinateur surpuissant qui vous sert de cerveau, répliqua Shane.

Puis, sans lui laisser le temps de protester, il ajouta, avec un de ces sourires enjôleurs dont il avait le secret :

— J'ai presque fini ici. Pourquoi n'iriez-vous pas dans la cuisine nous préparer un peu de café ? Nous pourrions y poursuivre cette intéressante conversation.

— En ce qui me concerne, répondit-elle en se dirigeant vers la porte, nous avons fait le tour de la question.

— Vous ne m'embrassez pas pour me dire au revoir, Becky ?

Rebecca lui jeta un regard glacial par-dessus son épaule.

— Embrassez donc une de vos vaches, joli cœur…

Avant même qu'elle ait pu comprendre ce qui lui arrivait, Shane avait fondu sur elle. Riant aux éclats, il la tint fermement contre lui.

— Rebecca, dit-il en secouant la tête. Vous avez décidément tout pour me plaire !

Entre l'instant où l'étau de ses bras s'était refermé autour d'elle et celui où ses yeux verts avaient plongé dans les siens, Rebecca avait perdu le souffle. Durant de longues secondes, elle ne fut capable de penser à rien d'autre qu'au sentiment de plénitude et de sécurité qui d'un coup l'avait envahie.

— Je croyais que vous connaissiez le sens du mot *non*, dit-elle aussi fermement qu'elle le put.

Pleins d'innocence, les yeux de Shane s'arrondirent sous l'effet de la surprise.

— Je ne suis pas en train de vous embrasser, n'est-ce pas ? J'avais juste envie de vous serrer contre moi une minute. Seigneur ! Je jurerais que vous pesez moins lourd qu'un sac d'engrais…

— Merci beaucoup pour ce si poétique compliment… A présent, lâchez-moi.

— Vous devriez vraiment manger plus. Pourquoi ne pas rester avec moi ce soir ? Je vous préparerais un bon dîner.

— Non ! s'écria Rebecca en tentant de le repousser. Non, non et non !

Shane secoua la tête d'un air peiné.

— Une fois suffit, vous savez…

Mais, loin de relâcher son étreinte, il l'affermit encore. Avisant le pouls qui battait comme un oiseau pris en cage, juste à la naissance du cou de Rebecca, il demanda :

— De quoi avez-vous peur ?

— Je n'ai pas peur.

A présent intrigué par la nuance de panique qu'il avait perçue dans sa voix, Shane étudia son visage attentivement.

— Bien sûr que si, dit-il d'une voix radoucie. Quelqu'un vous aurait-il blessée dans votre enfance ?

— Laissez tomber votre psychologie de bazar et lâchez-moi !

— N'ayez crainte, c'est ce que je vais faire. Si je cédais à l'envie de vous porter dans mes bras jusque dans mon lit, je trahirais ma parole et je négligerais mes bêtes.

Shane desserra ses bras mais laissa ses mains s'attarder sur les épaules de Rebecca.

— Que cela vous plaise ou non, reprit-il, il me paraît évident qu'il nous faudra tôt ou tard nous rapprocher l'un de l'autre.

— Libre à vous de le penser.

Incapable de résister à l'envie pressante qui le tenaillait de le faire, Shane éleva la main et laissa ses doigts s'égarer dans les mèches courtes des cheveux de Rebecca.

— Et libre à moi de penser que je vous désire de tout mon cœur, reprit-il. N'étant ni psychanalyste ni scientifique, je n'ai aucune raison de mettre en doute ce besoin ou de l'analyser. Il me suffit de le ressentir…

Shane sentit sous ses mains le corps de Rebecca se relaxer quelque peu, vit ses lèvres s'incurver en un sourire timide et son regard s'adoucir progressivement. En proie à la morsure familière du désir, il laissa sa main glisser le long de sa joue, pour la caresser du bout des doigts, avec une tendresse infinie.

— Ma douce Rebecca, murmura-t-il sans la quitter des yeux. Laissez-moi vous montrer que...

Comme la sonnerie d'un réveille-matin après une nuit de rêves, un retentissant coup de Klaxon dans la cour de la ferme vint brusquement réduire à néant la magie de l'instant. Tandis que Shane jurait sourdement, Rebecca fit un bond de côté, et découvrit en même temps que lui la brune capiteuse qui s'apprêtait à descendre du 4x4 poussiéreux garé devant la maison.

— Shane chéri ! lança-t-elle gaiement. J'ai pu m'arranger pour passer, comme je te l'avais promis...

En un geste machinal, Shane leva la main pour la saluer.

— C'est Darla, marmonna-t-il vaguement. Une amie.

Plus pour se protéger elle-même que pour se moquer de lui, Rebecca laissa un petit rire narquois fuser de ses lèvres.

— Je vous laisse avec Darla, dit-elle en se dirigeant vers la porte d'un pas pressé. Je sais que vous êtes un homme... très occupé.

Ne sachant comment se sortir de cette situation embarrassante, Shane fit un pas vers elle.

— Ecoutez ! lança-t-il vivement. Je pourrais peut-être...

Les yeux flamboyant de colère, Rebecca fit volte-face.

— Je n'ai plus le temps d'écouter vos sérénades, *Shane chéri*. Mon travail m'attend. Je vous souhaite une bonne nuit — mais je ne doute pas qu'elle le sera...

Chapitre 6

Dans l'ambiance feutrée de sa suite à la Résidence MacKade, Rebecca travaillait vite et bien. En une heure à peine, elle avait mis sur pied le plan du livre qu'elle souhaitait écrire sur les phénomènes de hantise liés à la bataille d'Antietam. Assise devant son micro-ordinateur, elle relut avec une satisfaction sans mélange le titre qu'elle voulait donner à l'ouvrage : *Antietam, mythes et fantômes.*

D'un point de vue scientifique, cela ne faisait pas très sérieux, mais il fallait reconnaître que cela sonnait bien. Elle imaginait sans peine la réaction de ses collègues lorsqu'ils découvriraient le nouvel ouvrage du Dr Rebecca Knight. Sans doute en feraient-ils des gorges chaudes durant des semaines dans l'intimité des cercles universitaires... Mais Rebecca n'en avait cure. D'une certaine manière, il lui tardait même que fût rendue publique sa prise de distance avec la communauté scientifique.

Pour elle, il y avait comme un nouveau challenge à écrire dans un style plus descriptif, plus impliqué que le style conventionnel qu'il lui avait fallu se résoudre à employer pour ses précédentes recherches. Afin de donner vie à son projet, elle comptait bien ne pas se contenter d'un simple rapport d'enquête. Elle introduirait au contraire des notes personnelles sur le paysage, la ville, l'histoire et les traditions de ses habitants. Elle était même décidée à mettre en avant certains d'entre eux — à la manière de personnages de romans — pour rendre plus palpable la vie paisible et pratiquement inchangée que l'on vivait ici depuis des décennies.

Mais, pour l'instant, elle avait déjà fort à faire à reporter l'histoire tragique de la famille Barlow dans cette maison, telle qu'elle lui avait été transmise par les différents témoignages qu'elle avait déjà recueillis. Elle travaillait depuis une heure sans relâche lorsqu'un signal sonore attira son attention.

D'un bond, elle fut debout devant l'écran de contrôle, où la jauge du thermomètre était en chute libre. En l'espace de quelques secondes, elle dégringola des 23° qui régnaient dans la pièce à un petit 3°. Prise de frissons, Rebecca serra les bras contre elle et vit avec stupeur son souffle sortir de sa bouche en panaches de buée.

A présent, tout était parfaitement silencieux. Le ronronnement même des machines semblait s'être estompé. Tous les sens aux aguets, Rebecca était figée dans l'attente impatiente et un peu anxieuse de ce qui voudrait bien se produire. *La dame ne vient jamais ici*, avait dit Emma. Devait-elle en conclure à une manifestation de Charles Barlow, l'intraitable maître de maison, ce qui eût été des plus logiques étant donné le lieu où elle se trouvait ?

Avec des gestes rapides et précis, Rebecca s'activa à mettre en route caméras, magnétophones et capteurs. Sur le moniteur de contrôle, elle eut le temps de voir apparaître son image ainsi qu'une ombre, mouvante mais nettement discernable, derrière elle. Prise de panique, elle se retournait pour y faire face lorsque la température, d'un coup, redevint normale. Il n'y avait rien ni personne dans son dos. Le phénomène avait pris fin, et ses machines bourdonnaient de leur rassurant ronronnement habituel.

En proie à une agitation extrême, Rebecca dut tâtonner quelques instants sur son Dictaphone avant de parvenir à le mettre en route.

— Début du phénomène à 2 heures 8 minutes et 15 secondes, dit-elle en consultant ses écrans. Chute de température de 20 degrés en l'espace de dix secondes. Brève présence d'origine inconnue captée par caméra vidéo sous forme d'ombre mouvante. Variation d'énergie constatée dans la pièce. Retour de la température normale et fin du phénomène à 2 heures 9 minutes et 20 secondes. Durée du phénomène : soixante-cinq secondes.

Le Dictaphone toujours serré dans sa main, Rebecca demeura quelques secondes figée sur place, espérant que l'incroyable épisode auquel elle venait d'assister allait se reproduire. Elle en avait l'intuition, son mystérieux visiteur ne pouvait être que Charles Barlow. Elle savait à propos de cet homme d'une autre époque tant de choses terrifiantes que cette simple idée suffisait à susciter en elle une gamme d'émotions diverses allant de la colère à la peur.

— Lâche ! s'entendit-elle murmurer, les dents serrées, sans cesser de scruter les alentours. Reviens ici si tu l'oses, espèce de brute sans conscience…

La violence contenue de ses paroles, le ton âpre sur lequel elle les avait prononcées, permirent à Rebecca de se calmer et de reprendre ses esprits. Songeant que sans objectivité tout projet était condamné à l'échec, elle passa la demi-heure suivante à consigner l'événement dans son journal de manière aussi précise que possible, à sauvegarder ses enregistrements, et à vérifier la bonne marche de ses appareils. Ensuite, parce qu'il était inconcevable pour elle de chercher le sommeil après ce qui venait de se produire, elle éteignit l'ordinateur et sortit de sa chambre.

Dans le couloir et sur le palier, elle se glissa comme une ombre, attentive, pleine d'espoir, mais sans découvrir autre chose que le silence et les ténèbres qui berçaient le sommeil des hôtes de la Résidence. Après avoir descendu sans rien ressentir de particulier le grand escalier de marbre où le jeune soldat était mort, elle se rendit dans chacune des pièces du rez-de-chaussée. Le salon, où de nombreux témoignages rapportaient la persistance d'une odeur de fumée, même en l'absence de feu dans l'âtre. La bibliothèque, que Cassie évitait autant que possible, après y avoir eu maille à partir avec l'esprit rageur de Charles Barlow. Le solarium, où il n'y avait rien de plus remarquable à découvrir que la profusion de plantes au feuillage éclairé par la lumière de la lune.

Parvenue dans la cuisine, il lui fallut lutter contre le sentiment d'abattement qui l'accablait. Ne devait-elle pas déjà s'estimer satisfaite d'avoir enfin pu vérifier par elle-même la réalité des phénomènes qui l'avaient amenée jusqu'ici ? Dans le domaine de recherche qu'elle s'était choisi, la patience était aussi importante que la curiosité et l'ouverture d'esprit.

Attirée par la beauté de la vue, Rebecca marcha jusqu'à la fenêtre au-dessus de l'évier, laissant son regard s'égarer au-delà du parc, des pelouses, au-delà des bois, des prés et des champs, jusqu'à la maison où Shane MacKade devait être endormi. L'urgence du besoin qui s'empara d'elle à cette idée la laissa désemparée — le besoin de sortir, de courir, de franchir ces bois, ces prés, ces champs, pour rejoindre cette maison, pour retrouver cet homme, qui semblait n'attendre qu'elle.

Avec un haussement d'épaules, Rebecca balaya cette idée saugrenue et alla se servir un verre d'eau. Shane n'attendait personne, et surtout pas elle. Qui plus est, avec la compagnie dans laquelle elle l'avait laissé en partant ce soir-là, il était douteux qu'il fût à cette heure occupé à dormir… Pourtant, elle ne pouvait nier la réalité du besoin si puissant, si élémentaire, qui lui avait noué les tripes un bref instant. Etait-ce la maison qui l'attirait de manière aussi pressante, ou l'homme qui l'habitait ?

C'était une chose à laquelle il lui faudrait réfléchir, qu'il lui faudrait avoir le courage d'explorer. La Rebecca timorée, timide et effarouchée par son ombre avait vécu. Il était plus que temps pour elle de cesser de se cacher derrière un ordinateur ou derrière un livre. Elle était arrivée à Antietam ouverte à tous les possibles, en quête d'expériences inédites et d'aventure. Or, n'était-ce pas exactement ce que Shane MacKade lui offrait ?

Il ne tenait qu'à elle de le prendre au mot, se dit-elle en se glissant dans le hall pour regagner sa chambre. Quand elle se sentirait prête, bien sûr. Et selon ses modalités. A sa propre allure…

Le lendemain, après une courte nuit sans rêves, Rebecca s'éveilla fraîche et reposée en dépit du manque de sommeil. En temps habituel, il ne lui arrivait que rarement de dormir plus de cinq heures d'affilée, et l'excitation d'avoir un travail de recherche en cours réduisait en général cette moyenne d'une heure ou deux encore.

Après avoir pu vérifier au petit déjeuner que les pensionnaires de la Résidence n'avaient rien remarqué de spécial cette nuit-là, elle regagna sa chambre et se plongea dans le travail. La matinée et une partie de l'après-midi s'étaient déjà écoulées sans qu'elle s'en rende compte lorsqu'elle entendit frapper discrètement à la porte de sa chambre.

— Désolée de vous déranger, s'excusa Cassie en pénétrant dans la pièce.

— Aucun problème ! assura Rebecca, qui se leva pour l'accueillir, après avoir posé ses lunettes sur le bureau. Je travaille depuis ce matin, il était temps que je fasse une pause.

Après avoir parcouru d'un regard perplexe le matériel sophistiqué qui les entourait, Cassie lui adressa un sourire timide et dit :

— Je suis venue vous prévenir que je dois me rendre d'urgence à l'hôpital…

— A l'hôpital ! s'exclama Rebecca, alarmée. Que se passe-t-il ? Un de vos enfants est blessé, malade ?

— Pas du tout ! s'empressa-t-elle de préciser. C'est Shane qui…

A la grande surprise de Cassie, le visage de Rebecca devint subitement blanc comme neige.

— Shane ! Que lui est-il arrivé ? Un accident ?

Surprise de sa réaction, Cassie s'approcha pour poser sur son avant-bras une main douce et rassurante.

— Rebecca, calmez-vous… C'est Savannah. Elle est sur le point d'accoucher.

Soulagée, Rebecca se laissa glisser sur sa chaise, sous l'œil de plus en plus intrigué de Cassie.

— Désolée, s'excusa celle-ci. Je ne voulais pas vous effrayer.

— C'est ma faute, la tranquillisa-t-elle. Je suis trop anxieuse.

— Shane m'a appelée il y a une heure, expliqua Cassie. C'est Jared qui l'a prévenu. J'ai dû prendre mes dispositions pour faire garder les enfants avant de partir. Mais je ne voulais pas le faire sans vous avoir avertie. Il y a de quoi vous confectionner un repas froid dans le réfrigérateur. Surtout, faites comme chez vous. Je dois prendre la voiture, mais on m'a chargée de vous dire que vous pouvez vous rendre à pied au chalet, ou à la ferme, pour en emprunter une si besoin est.

— C'est trop gentil de votre part, assura Rebecca.

De nouveau maîtresse d'elle-même, elle se releva et adressa à son hôtesse un large sourire.

— Le bébé de Savannah arrive, dit-elle en secouant la tête comme pour s'en convaincre. Est-ce que tout se passe bien ?

— Très bien, aux dernières nouvelles. C'est juste que nous avons l'habitude d'être tous présents lorsque…

— Dépêchez-vous d'y aller, la pressa Rebecca en l'accompagnant à la porte. Et ne vous en faites pas pour moi ni pour la maison, je n'ai pas l'intention de bouger d'ici.

Après le départ de Cassie, Rebecca tenta de s'absorber de nouveau dans son travail mais il lui fut difficile de se concentrer. Elle imaginait sans peine la bruyante et chaleureuse famille MacKade réunie dans la salle d'attente de la maternité. Par leur agitation, leurs exigences et le bruit qu'ils faisaient, sans doute avaient-ils déjà poussé à bout toutes les infirmières... Chacun à leur tour, ils devaient surgir en trombe dans la salle de travail pour s'enquérir des progrès de l'accouchement et venir bien vite en référer aux autres. Mais avaient-ils seulement la plus petite idée de la chance qu'ils avaient ?

Deux nouvelles heures studieuses s'étaient écoulées lorsque Rebecca s'aperçut des grognements de protestation de son estomac. Dans la cuisine, elle étudiait d'un œil gourmand et curieux le contenu du réfrigérateur lorsque la sonnerie du téléphone mural retentit à côté d'elle. D'un geste machinal, elle décrocha et répondit.

— Allô ? Euh... Résidence MacKade.

Elle n'eut aucun mal à reconnaître la voix de son interlocuteur.

— Vous avez une très jolie voix au téléphone, Rebecca. Très sexy...

— Shane ?

— Comment avez-vous deviné ? Nous pensions que vous auriez aimé savoir que la famille MacKade s'est encore agrandie...

— Comment va Savannah ? s'impatienta Rebecca. Et le bébé ?

— C'est une fille, répondit Shane. Et la mère comme l'enfant se portent à merveille. Miranda MacKade possède déjà un minois à faire pâlir d'envie toutes les filles d'Antietam et pèse quatre kilos quatre cent vingt et un grammes...

— Miranda, répéta-t-elle en soupirant. Quel ravissant prénom !

— Cassie est déjà sur le chemin du retour, expliqua Shane. Mais elle doit d'abord passer chez Ed récupérer ses enfants. J'ai pensé que vous aimeriez apprendre la bonne nouvelle au plus vite.

— C'est gentil à vous. Merci.

— A présent, conclut-il, j'ai envie de fêter dignement l'événement… Que diriez-vous de vous joindre à moi ?

— Euh…

— Rien de solennel, rassurez-vous. Je pourrais passer vous prendre à la Résidence. Nous pourrions aller boire une bière quelque part.

— C'est une offre alléchante, mais…

— Parfait ! Je serai là dans une demi-heure.

— Mais je n'ai pas…

D'un œil perplexe, Rebecca contempla l'écouteur, d'où ne s'échappait plus qu'un bip entêtant.

Rebecca avait décidé de ne pas se mettre en frais. Par coquetterie, elle avait certes vérifié dans un miroir avant de sortir sa coiffure et son maquillage, mais ses efforts d'élégance s'arrêtaient là. Son pantalon et son chandail seraient bien assez chic pour une simple bière dans un bar. Elle accrocha juste une paire de boucles en or à ses oreilles.

Après avoir laissé sur la porte une note à l'intention de Cassie, Rebecca s'avança dans l'allée principale pour y attendre Shane. Des prémices de l'automne à venir semblaient flotter dans l'air. Il avait fait chaud toute la journée, mais le soleil avait à peine disparu à l'horizon que déjà tombait la fraîcheur nocturne. La nuit était presque complète à présent, à peine émaillée de quelques lumières dans le lointain. De temps à autre, les phares d'une voiture et le ronronnement d'un moteur sur la route en contrebas troublaient la quiétude vespérale, avant que le silence et l'obscurité ne reprennent leurs droits.

En quittant New York, elle avait un peu redouté de s'ennuyer de la perpétuelle agitation qui y régnait, de cette ambiance électrique et souvent épuisante qui faisaient sa réputation. Dans cette ville, elle avait appris à combattre sa peur de la foule, à apprécier de courir les magasins, les théâtres, les musées. Elle avait cessé de marcher en fixant ses chaussures, cessé de se hâter sans cesse vers l'abri rassurant de son appartement et de ses livres. En guise de thérapie personnelle, elle s'était astreinte à se frotter aux autres plutôt que de chercher à les fuir.

Mais contrairement à ses craintes, New York ne lui manquait pas. Depuis son arrivée à Antietam, elle ne cessait de s'émerveiller de la beauté des paysages et de la qualité de vie qui y prévalait. Tout ici allait à un pas plus lent, plus tranquille. Les gens y prenaient le temps de vivre, de s'observer, de se rencontrer, de s'apprécier… et parfois de médire l'un de l'autre.

Les yeux perdus dans le vague, elle en était encore à remuer ces pensées lorsque la camionnette de Shane déboucha dans l'allée. Après avoir rajusté sur son épaule la lanière de son sac, elle s'empressa de le rejoindre et de grimper dans le véhicule.

— Une femme qui m'attend, commenta Shane en la regardant s'installer. Tout ce que j'aime…

D'un geste sec, Rebecca boucla sa ceinture.

— Désolée de vous décevoir, dit-elle, mais j'étais

sortie pour profiter de la beauté de la nuit. On dirait que l'automne arrive…

Sans lui répondre, Shane se pencha pour agiter du bout du doigt l'un de ses pendants d'oreille.

— Vous êtes très jolie.

— Vous n'êtes pas mal non plus…

Le compliment était sorti de lui-même et Rebecca n'avait pas eu le temps de le regretter. De toute façon, et très objectivement, dans sa chemise en jean bleu ouverte sur un T-shirt blanc, avec sa beauté juvénile à faire se pâmer les femmes, Shane MacKade le méritait amplement…

— Où allons-nous ? s'enquit-elle alors qu'il effectuait habilement sa manœuvre pour faire demi-tour.

— En ville, répondit-il. Chez Duff. Ça ne paie pas de mine, mais on y est bien.

Effectivement, songea Rebecca en y pénétrant, c'était peu de dire que la Duff's Tavern ne payait pas de mine… L'éclairage se résumait à quelques tubes au néon que seuls venaient atténuer les nuages de fumée de cigarettes s'élevant des tables. Un juke-box multicolore crachant sa musique country et une imposante table de billard complétaient l'ameublement. Sur les murs défraîchis, quelques affiches publicitaires ornées de pin-up vantant les mérites de marques de bière constituaient les seuls efforts de décoration, si l'on exceptait un curieux poster représentant quatre caniches affublés de bandanas lancés dans une partie de poker…

Avant d'atteindre le bar — un long comptoir de bois gardé par un vieux bonhomme décharné à la mine patibulaire —, Shane ne put faire autrement que de la présenter à une demi-douzaine de personnes.

S'efforçant de faire bonne figure, Rebecca supporta stoïquement le mélange de curiosité, de méfiance et d'intérêt que semblaient susciter les étrangers au sein de cette communauté restreinte.

Enfin Shane passa commande en élevant simplement deux doigts en l'air.

— Comment ça va, Duff ?

Pour toute réponse, l'homme saisit sous le comptoir deux bouteilles de bière qu'il déposa devant eux, avant de les décapsuler d'un geste expert.

— Je te présente Rebecca Knight, poursuivit Shane. Une amie de Regan qui nous vient de New York.

— New York City est un trou de l'enfer ! grogna l'homme en toisant Rebecca d'un regard glacial.

— Vous y êtes déjà allé ? s'enquit-elle poliment.

— Faudrait me payer cher !

Sans autre commentaire, l'aimable Duff Dempsey s'éloigna pour servir de nouveaux arrivants.

— Duff est un vrai moulin à paroles, commenta Shane en l'entraînant à sa suite vers une table libre. C'est aussi l'homme le plus jovial qui soit…

Après avoir pris place sur la chaise qu'il lui présentait avec galanterie, Rebecca lui sourit.

— Je l'ai tout de suite deviné ! plaisanta-t-elle. Après tout ne suis-je pas une spécialiste ?

Shane lui rendit son sourire et éleva solennellement sa cannette devant lui.

— Longue vie à Miranda MacKade ! lança-t-il avant de la porter à ses lèvres.

Rebecca, qui comprenait enfin pourquoi le patron n'avait pas cru bon de leur fournir des verres, l'imita du mieux qu'elle put sans se ridiculiser.

— Racontez-moi tout ! le pressa-t-elle ensuite. Je suppose que Savannah doit être aux anges…

Un sourire ironique déforma les lèvres de Shane.

— Les deux ou trois fois où j'ai pu l'apercevoir, répondit-il, je dois avouer qu'elle était plutôt à cran… Entre autres amabilités, elle ne cessait d'agonir d'injures les MacKade.

— De la part d'une femme en plein travail, cela peut se comprendre…

— Je ne vous le fais pas dire. Encore que je ne me rappelle pas que Regan ou Cassie, placées dans la même situation, aient été aussi véhémentes. Mais Savannah… c'est Savannah. Et c'est bien pour cela que nous l'aimons. Quoi qu'il en soit, après avoir vitupéré tant et plus, elle n'était plus que roucoulements de bonheur quand on lui a placé le bébé dans les bras…

— Et Jared ?

— Il suait à grosses gouttes avant, et ne cessait de sourire comme un idiot après… C'est la même chose chaque fois que nous avons un bébé.

— Nous ?

— C'est une affaire de famille… Vous auriez pu venir.

— Il me semble que Savannah avait déjà suffisamment de compagnie comme cela…

Rebecca pencha la tête sur le côté et l'observa quelques instants d'un air mutin.

— Et vous ? demanda-t-elle enfin. Cela ne vous donne pas d'idée ?

— Pardon ?

Puis, comprenant où elle voulait en venir, il s'adossa à son siège et se mit à rire.

— Mes frères s'en sortent très bien pour donner

une succession à la famille MacKade, reprit-il. Il n'est donc pas nécessaire que je m'y mette aussi. Et vous ? Cela vous donne envie de vous ranger et de couver ?

Cette fois, ce fut au tour de Rebecca de rire gaiement.

— De couver ! Certainement pas…

Après avoir saisi une cacahuète dans le bol en plastique qui lui faisait face, Shane l'expédia d'une pichenette adroite au fond de sa bouche et demanda :

— A part lire dans la tête des gens et chasser les fantômes, qu'est-ce qui vous intéresse dans la vie ?

— Je vis dans un trou de l'enfer, vous vous rappelez ? Messes noires, meurtres, orgies — ce ne sont pas les occupations qui manquent. Ma vie est plutôt bien remplie.

Le plus naturellement du monde, Shane tendit la main par-dessus la table pour la poser sur celle de Rebecca.

— Y a-t-il quelqu'un pour vous aider à la remplir ? demanda-t-il innocemment.

— Non. Personne en particulier…

Un sourire aimable au coin des lèvres, Rebecca libéra doucement sa main et se pencha vers lui pour demander :

— Dites-moi… Comment va votre amie Darla ?

Surpris, Shane s'éclaircit la gorge et s'accorda le temps de la réflexion en sirotant sa bière.

— Elle va bien, répondit-il enfin. Je vous remercie.

Il n'avait pas cru bon d'ajouter qu'il avait gentiment éconduit la charmante Darla, le soir précédent, en dépit de son offre généreuse de s'occuper de son dîner et de quoi que ce soit d'autre dont il aurait pu avoir envie… Même si c'était la vérité, cela aurait sans doute sonné aux oreilles de Rebecca comme de piètres justifications, qu'il n'avait de toute façon aucune raison de lui fournir.

— Et de votre côté ? répliqua-t-il du tac au tac. Vous progressez dans votre chasse aux fantômes ?

— Ce n'est pas une manière très subtile de présenter la chose…

— Je ne cherchais pas à être subtil.

Avec obstination, Shane posa de nouveau sa main sur celle de Rebecca, entremêlant étroitement ses doigts aux siens.

— Au risque de vous surprendre, répondit-elle avec une lueur de défi dans les yeux, j'avance à pas de géant…

Avec plaisir, Rebecca vit la lueur de malice qui ne les quittait pas disparaître des yeux de Shane.

— C'est une blague ?

— Absolument pas… Pas plus tard qu'hier, j'ai pu enregistrer une chute de température de vingt degrés en dix secondes, suivie d'une fugitive apparition.

Avant qu'il ne retire sa main, Rebecca avait eu le temps de sentir les doigts de Shane trembler entre les siens. Plus pour se donner une contenance que par envie, il s'accorda une autre gorgée de bière et conclut d'un air narquois :

— Votre précieux matériel est encore sous garantie ? Vous auriez tout intérêt à le faire réviser…

Bien plus que de l'amusement, sa réaction suscita chez Rebecca un grand intérêt.

— Parfois le scepticisme n'est qu'un moyen de défense, commenta-t-elle en le dévisageant attentivement. Vous vous sentez menacé ?

Avec un agacement manifeste, Shane haussa les épaules.

— C'est idiot… Pourquoi me sentirais-je menacé par quelque chose qui n'existe pas ?

L'œil pétillant de malice, Rebecca hocha la tête d'un air entendu.

— On se le demande, en effet…

— Ecoutez ! s'emporta-t-il. Ce n'est pas parce que j'ai…

Shane s'était repris juste à temps. Plissant les yeux, il l'examina attentivement et découvrit à quel point elle semblait conserver sa maîtrise d'elle-même alors qu'elle avait été sur le point de lui faire perdre la sienne.

— Bien joué, lança-t-il sèchement. Est-ce ainsi que vous analysez vos patients, doc ?

— Pourquoi ? Vous vous sentez l'âme d'un patient ?

— Bas les pattes, Becky !

— Désolée…

La tête rejetée en arrière, Rebecca partit d'un grand rire sonore. A cette minute, Shane se serait volontiers jeté sur elle pour la faire taire d'un baiser.

— Je n'ai pas pu résister, s'excusa-t-elle après s'être calmée. En fait, je ne pratique jamais sur des cas personnels, mais je dois avouer que vous feriez un sujet d'étude passionnant… Voulez-vous essayer quelques associations d'idées ?

— Non.

L'expression d'une surprise amusée passa sur le visage de Rebecca.

— Vous n'avez pas peur, n'est-ce pas ? C'est très simple. Je dis un mot et tout de suite vous me dites celui qui vous passe par la tête.

— Je n'ai pas peur d'un jeu de salon idiot, grommela Shane.

Rebecca l'observa et remarqua qu'il était suffisamment

inquiet pour s'agiter nerveusement sur son siège. Gêné de se sentir ainsi percé à jour, il haussa les épaules.

— Allez-y, grogna-t-il. Je vous écoute.

Satisfaite, Rebecca se carra confortablement sur sa chaise et lança sans attendre :

— Foyer…

— Famille ! aboya Shane aussitôt.

Cela la fit sourire.

— Oiseau…

— Plume !

— Voiture…

— Camion !

— Ville…

— Bruit !

— Patrie…

— Terre !

— Sexe…

— Femmes !

Sans attendre le mot suivant, Shane s'empara de la main de Rebecca sur la table et porta doucement ses doigts à ses lèvres.

— Rebecca…

— L'un dans l'autre, commenta-t-elle en s'efforçant d'ignorer son cœur qui cognait à coups redoublés dans sa poitrine, je dirais que vous êtes un homme assez simple — ne le prenez pas mal —, à l'aise dans l'existence et heureux de la condition qui est la sienne.

Durant quelques instants, elle attendit qu'il libère sa main, mais Shane ne paraissait nullement disposé à le faire.

— Si vous avez faim, suggéra-t-elle, vous pourriez peut-être essayer les cacahuètes…

— Je préfère vos doigts…

Pour bien le lui prouver, il se mit en devoir de les lui mordiller légèrement, l'un après l'autre.

— Ils sont comme vous, reprit-il avec ferveur. Longs, doux, chauds, fermes…

Le plus calmement possible, Rebecca rapprocha sa chaise et se pencha vers lui.

— Vous n'imaginez tout de même pas que vous allez me séduire au-dessus d'une bière dans une taverne enfumée ? lui murmura-t-elle à l'oreille.

— Ça valait la peine d'essayer.

Lentement, Shane laissa ses lèvres descendre jusqu'au poignet de Rebecca, fin et strié de veines bleues.

— Votre pouls s'accélère, docteur Knight…

— Simple réaction physique à un stimulus externe. N'y voyez rien de personnel…

— Nous pourrions peut-être personnaliser un peu.

Par-dessus l'épaule de Rebecca, Shane regarda la table de billard, qui venait de se libérer.

— Vous êtes joueuse ? reprit-il. Je vous propose un petit pari.

— Lequel ?

— Que diriez-vous d'une partie de billard entre amis ?

— Une partie de billard ! s'exclama Rebecca en parvenant enfin à récupérer sa main. Mais je n'y ai jamais joué…

Songeant que cela ne ferait que lui rendre la partie plus facile, Shane eut un sourire gourmand et balaya l'argument.

— Je vous apprendrai. Ce n'est pas bien compliqué, et vous êtes censée être plutôt bonne élève, pas vrai ?

— C'est vrai. Quel serait l'enjeu du pari ?

D'enjôleur, le sourire de Shane se fit carnassier.

— Si je gagne, expliqua-t-il, vous me suivez sans discuter jusqu'à ma camionnette, et vous me laisserez découvrir à ma guise ce que vous cachez sous ces vêtements. J'en meurs d'envie…

Rebecca inspira longuement et soutint le regard de Shane avant de répondre :

— Et si c'est moi qui gagne ?

— A vous de me dire ce qui vous ferait vraiment plaisir…

Rebecca n'eut pas à réfléchir très longtemps.

— Si je gagne, dit-elle, vous me laissez installer mon matériel chez vous dès demain et vous promettez de m'apporter votre concours dans mon projet — sur un plan strictement professionnel, bien sûr…

Shane ne prit pas le temps de la réflexion lui non plus, tant la cause lui semblait entendue.

— Marché conclu…

Avec toute la confiance d'un joueur émérite, il se leva et la précéda jusqu'à l'imposante table de billard. Là, après avoir décroché deux queues au râtelier, il lui en tendit une et précisa, bon prince :

— Puisque vous êtes débutante, je vous laisse deux boules d'avance. Laissez-moi vous montrer.

D'un geste expert, Shane rompit le triangle de boules colorées rassemblées au centre du tapis vert. Tout en expliquant à Rebecca de manière simple les règles du jeu, il lui fit une brillante démonstration sur l'art et la manière de faire disparaître l'une après l'autre chacune des boules dans les trous. Tous les sens aux aguets, Rebecca ne perdait pas une miette de la démonstration.

Même s'il lui avait été donné de voir déjà des gens jouer

au billard, elle n'y avait jamais vraiment prêté attention. Pourtant, se dit-elle, une fois acquises les techniques de base, il n'y avait là rien d'insurmontable. Et à bien y réfléchir, toute l'affaire se résumait à quelques notions de géométrie et de physique appliquées… Contrairement aux apparences, avec la vitesse de calcul, la main ferme et le sens de l'observation qu'elle possédait, la victoire n'était pas hors de portée.

Son cours achevé, Shane remit les boules en place au centre de la table et marcha vers elle d'un pas chaloupé.

— Peut-être pourrions-nous considérer que j'ai d'ores et déjà gagné et ne pas perdre ainsi un temps précieux ? suggéra-t-il en posant sur ses hanches deux mains conquérantes.

En riant, Rebecca fit un pas de côté pour se libérer et se mit sans attendre en position pour son premier coup.

— Bas les pattes, joli cœur ! Un pari est un pari…

Avec un soupir, Shane plongea ses mains au fond de ses poches et la regarda faire avec condescendance.

— Très bien, Becky, murmura-t-il pour lui-même. Vous ne perdez rien pour attendre.

Avec un frisson de plaisir anticipé, il imaginait déjà la buée qui opacifierait les vitres de sa camionnette, lorsque enfin nus l'un contre l'autre, il laisserait son corps s'enrouler autour du sien…

Chapitre 7

Tout en installant consciencieusement une de ses caméras dans la cuisine de la ferme MacKade, Rebecca racontait à Regan, médusée, sa sortie de la veille.

— Alors, Shane et moi nous avons joué au billard. C'est un vrai champion à ce jeu-là, tu sais... Nous nous sommes tellement amusés que nous avons fait la fermeture de chez Duff.

Pour être certaine d'avoir bien compris ce qu'elle venait d'entendre, Regan prit le temps d'assimiler l'information.

— Vous avez joué au billard jusqu'au milieu de la nuit, répéta-t-elle d'un air dubitatif. Chez Duff...

Rebecca hocha la tête.

— Tu aurais vu le monde qu'il y avait autour de nous ! Toute la salle m'a fait un triomphe après la première partie. Je crois que je les ai conquis... Ils voulaient tous m'inviter à boire un verre pour fêter ça.

Avec la sensation de nager en plein rêve, Regan hocha pensivement la tête.

— Tu comprends, poursuivit Rebecca, moi qui ne bois jamais, je ne pouvais tout de même pas accepter, sous peine de rouler sous la table... Et puis je ne pense pas que Shane l'aurait très bien pris. Déjà qu'il avait du mal à encaisser sa défaite... Il l'a fait très sportivement, remarque ! Beaucoup d'hommes n'accepteraient pas aussi facilement d'être battus par une femme à leur propre jeu.

— Tu veux dire, commença Regan en se passant une main sur le visage. Tu veux dire que tu as *battu* Shane MacKade au billard ?

— Oui.

Comme s'il n'y avait là rien que de très naturel, Rebecca se dirigea vers la cafetière, qu'elle détailla d'un œil sceptique.

— Saurais-tu par hasard comment fonctionne cette machine ? demanda-t-elle en se tournant vers son amie.

— Tu es incapable de préparer du café, plaisanta Regan en la rejoignant près de l'évier, mais tu prétends avoir battu Shane au billard… A ma connaissance, seul Rafe est capable d'un tel exploit. Et personne ne peut battre Rafe.

Les sourcils froncés, Rebecca la regarda remplir d'eau la verseuse et mesurer la mouture dans le filtre, avant de déclarer :

— Moi je le pourrais sans doute. Charlie Dodd dit que j'ai le billard dans le sang.

— De mieux en mieux, grommela Regan. Mais il y a une chose que tu as oublié de me dire…

— Laquelle ?

— L'enjeu du pari. Que se serait-il passé si tu avais perdu ?

Un sourire rêveur s'attarda sur les lèvres de Rebecca.

— En cas de défaite, j'avais promis à Shane de le suivre sans discuter dans sa camionnette, et de le laisser me déshabiller…

Sous le coup de l'émotion, Regan renversa sur le

comptoir la moitié de l'eau qu'elle s'apprêtait à verser dans la cafetière.

— Mais bon sang, Rebecca ! s'exclama-t-elle en s'activant à éponger les dégâts. Peux-tu me dire ce qui t'arrive ?

Sans se départir de son sourire, Rebecca croisa les bras et laissa son regard errer par la fenêtre au-dessus de l'évier.

— Peut-être aurais-je aimé cela…

— Ça, je n'en doute pas un seul instant.

Après quelques minutes d'un silence tendu, Regan poussa un profond soupir et vint prendre dans les siennes les mains de son amie.

— Ecoute-moi, fit-elle en lui adressant un sourire ému. Je ne voudrais pour rien au monde m'immiscer dans ta vie privée, mais Shane… Tu dois savoir qu'il est très libre avec les femmes et qu'il n'est pas très stable.

Surprise de l'émotion et de l'inquiétude sincère que trahissaient les paroles de son amie, Rebecca se ressaisit et quitta sa contemplation du paysage pour la fixer dans les yeux.

— Je le sais parfaitement, dit-elle avec un sourire rassurant. Tu n'as pas à t'en faire pour moi. J'ai beau avoir vécu longtemps comme une recluse, je ne suis tout de même pas idiote.

Après avoir déposé sur la joue de Regan un baiser léger, Rebecca esquissa un pas de danse en direction du bébé, qui gazouillait dans son transat posé sur la table.

— Figure-toi, ajouta-t-elle en caressant du doigt la joue douce et rebondie de Jason, que j'envisage même d'avoir… une aventure avec Shane ! Il est diablement séduisant, et j'en suis sûre, très expérimenté…

Incapable de résister à l'attrait du nourrisson qui battait des jambes en lui souriant, Rebecca se pencha pour déposer sur son front un gros baiser mouillé.

— Parce que si je dois avoir une aventure amoureuse, conclut-elle, autant que ce soit avec quelqu'un que je respecte et pour qui j'ai de l'estime, tu ne crois pas ?

— En général, commenta Regan d'une voix blanche, c'est ainsi que les choses se passent. Mais ne penses-tu pas que…

— Un visage d'ange et un corps d'Apollon, l'interrompit Rebecca, sont des atouts supplémentaires à ne pas négliger, même s'ils ne font pas tout. J'ai émis l'hypothèse que plus l'attirance physique est forte entre un homme et une femme, plus leur satisfaction sexuelle sera grande.

L'eau avait cessé de gargouiller dans la cafetière lorsque Regan retrouva l'usage de la parole.

— Rebecca… Faire l'amour avec un homme ne peut être envisagé comme une expérience ou un projet d'ordre scientifique…

— Ah bon ?

Voyant que Regan, de plus en plus déconfite, ne goûtait pas sa petite plaisanterie, Rebecca la rejoignit et posa sur ses épaules un bras amical. Comment aurait-elle pu expliquer, même à une amie aussi proche, à quel point il était important et nouveau pour elle de se sentir aussi vivante, aussi libre, aussi attirante ?

— Regan… Voilà trop longtemps que je vis la vie pour laquelle mes parents m'avaient prédestinée. A présent que je me suis enfin libérée de cette tutelle encombrante, je veux vivre tous les possibles, explorer toutes les facettes de ma personnalité. T'es-tu déjà demandé pourquoi j'avais choisi l'étude du paranormal comme hobby, après m'être consacrée durant tant d'années à la psychanalyse ?

Sans attendre la réponse de son amie, Rebecca enchaîna aussitôt :

— Un étudiant de première année en psychologie pourrait te le dire. Si je me suis vouée à l'étude du subconscient et des phénomènes paranormaux, c'est pour avoir une chance un jour de me connaître et de me comprendre moi-même. L'anormale, c'est moi...

— C'est faux ! protesta Regan avec véhémence. Tu es trop dure avec toi-même.

— Ma chère amie, murmura Rebecca, les larmes aux yeux. Tu m'as toujours tellement protégée, y compris contre moi-même... Mais la vérité, c'est qu'il n'est pas normal pour une enfant de sept ans de plancher sur la théorie de la relativité générale ou de discuter en français avec un aréopage d'historiens des répercussions politiques de la guerre de Crimée...

Sans laisser à Regan le loisir de l'interrompre, Rebecca s'empressa de poursuivre :

— Tu ne peux pas savoir ce que c'est que de n'avoir pour tout horizon que l'étude, encore et toujours. Même quand je rentrais à la maison après de longs mois de pensionnat, il n'était question que de précepteurs, de leçons, de projets... Et avant que j'aie eu le temps de me rendre compte de quoi que ce soit, ma vie entière ne se résumait plus qu'à cela... Engrange un autre diplôme pour faire plaisir à tes parents, Rebecca ! Et un autre, et encore un autre... Et rentre chez toi toute seule le soir...

— Rebecca, murmura Regan en la prenant dans ses

bras, jamais je n'aurais imaginé que ton enfance t'avait rendue malheureuse à ce point…

— J'ai été malheureuse toute ma vie…

Pour retenir ses larmes, Rebecca ferma les yeux.

— Oh ! gémit-elle. Cela semble tellement dramatique et injuste de dire cela. On pourrait considérer que j'ai eu beaucoup de chance dans la vie : une bonne éducation, de l'argent, la considération, de grandes opportunités professionnelles. Mais la chance elle-même peut être un piège, au même titre que la malchance. Et à présent, je suis bien décidée à sortir de ce piège…

— Et je ne peux que t'encourager dans cette voie, conclut Regan en s'éloignant pour aller chercher deux tasses dans un placard. Je trouve merveilleux que tu aies eu le courage de prendre du temps pour toi-même, et de le consacrer à quelque chose qui t'intéresse vraiment, même si cela doit t'attirer la réprobation de ta famille et de tes collègues.

— Mais ? compléta Rebecca en saisissant la tasse fumante que Regan lui tendait. Car je suppose qu'il y a un mais…

— Mais Shane MacKade, dit-elle en cherchant son regard, n'a rien quant à lui d'un innocent hobby. Sans le vouloir, sans même s'en rendre compte, il pourrait fort bien te faire beaucoup de mal.

Tout en sirotant son café, Rebecca sembla méditer quelques instants.

— Même cela serait une expérience intéressante, conclut-elle. Je n'ai jamais laissé un homme m'approcher d'assez près pour avoir à en souffrir.

Regan eut une moue dubitative.

— Quoi qu'il en soit, dit-elle, sois prudente…

Renonçant à faire comprendre à son amie que c'était précisément ce qu'elle ne voulait plus être, Rebecca hocha la tête et se replongea dans la dégustation de son café.

Rebecca n'était même pas capable de faire cuire un œuf. Shane n'avait jamais connu personne dont les compétences culinaires se limitaient à réchauffer dans une casserole une boîte de soupe. Et encore cette humble tâche prenait-elle, lorsqu'elle s'y attelait, des proportions de travaux d'Hercule… Pourtant, il s'était déjà habitué à sa présence. Ou tout du moins essayait-il de s'en persuader… Rebecca était de compagnie agréable, mais il haïssait avec toujours autant de force les raisons qui l'avaient poussée à investir sa maison.

Son matériel était partout — dans la cuisine, le living-room, les escaliers, les chambres. Il lui était à présent impossible de se retourner chez lui sans se retrouver nez à nez avec une caméra. Qu'une femme aussi intelligente pût envisager de filmer des fantômes ne cessait de le remplir d'étonnement et d'une sorte de colère froide.

Il devait le reconnaître, la présence de Rebecca auprès de lui offrait néanmoins des avantages certains. S'il ne fallait pas lui demander de faire à manger, elle se chargeait avec une méticuleuse efficacité de ranger et nettoyer. De plus, il était plutôt agréable de rentrer des champs pour la trouver attablée dans la cuisine devant son précieux ordinateur portable. Elle avait décrété dès son arrivée que c'était dans cette pièce qu'elle se sentait le plus à l'aise et y avait pris ses quartiers.

La première nuit s'était passée sans encombre, même si

Shane avait l'impression de n'avoir cessé de se retourner dans son lit, tourmenté à l'idée de la savoir couchée de l'autre côté du couloir, si proche et en même temps tellement inaccessible.

Le petit déjeuner avait dissipé le malaise. Dieu qu'il était bon d'avoir la compagnie d'une femme pour le premier repas de la journée ! Quelqu'un d'agréable à regarder, quelqu'un qui sentait bon et qui ne manquait pas d'idées personnelles à exprimer. Malheureusement pour lui, il n'avait cessé de penser à elle tout au long de sa journée de travail, n'aspirant qu'à la retrouver… Aucune femme ne lui avait encore à ce point hanté l'esprit.

Shane tentait de se rassurer en se disant que les circonstances étaient particulières. Rebecca était à présent une invitée sous son toit, et il lui avait promis de ne rien faire pour tenter de la séduire. Pour tenir parole, il lui suffisait d'oublier à quel point elle était jolie, avec ses yeux dorés concentrés derrière ses petites lunettes rondes perchées sur son nez menu, avec ses longs doigts fins effleurant son clavier à n'en plus finir, avec ses jambes sagement croisées sous sa chaise à hauteur des chevilles…

Alors qu'il claquait pour la troisième fois le couvercle d'une marmite, Rebecca fit glisser ses lunettes le long de son nez pour l'observer avec curiosité par-dessus ses verres.

— Shane, dit-elle. Vous ne vous sentez pas obligé de faire la cuisine pour moi, n'est-ce pas ?

— Ce n'est pas vous qui allez le faire, bougonna-t-il.

— Certes, admit-elle. Mais je pourrais passer un

coup de fil pour nous faire livrer quelque chose… Qu'en pensez-vous ?

— J'en pense que vous vous croyez toujours à New York, répondit-il sans même un regard dans sa direction. Personne ici n'a jamais entendu parler de service à domicile.

— Oh…

Rebecca laissa échapper un soupir et enleva ses lunettes. Shane semblait ce soir d'humeur massacrante… Probablement un problème avec les foins qu'il avait passé la journée à couper, ou avec les vaches qu'il venait de traire. Compatissante, elle se leva et s'approcha de lui dans son dos pour lui masser les épaules, sans tenir compte du tressaillement de ses muscles tendus au contact de ses mains.

— Vous avez eu une rude journée, dit-elle. Ce doit être épuisant de travailler toute la journée dans les champs et de devoir en rentrant s'occuper encore du troupeau.

— Ce serait plus facile après une nuit de sommeil digne de ce nom…, marmonna-t-il entre ses dents serrées.

— Vous êtes affreusement noué, poursuivit Rebecca sans cesser de lui masser les épaules. Pourquoi n'iriez-vous pas vous détendre un peu pendant que j'ouvre une boîte de quelque chose et que je prépare quelques sandwichs…

— Je n'ai pas envie de sandwichs…

— C'est pourtant ce que j'ai de mieux à vous offrir.

D'un bond, Shane fit volte-face et l'emprisonna entre ses bras.

— C'est de vous que j'ai envie !

En dépit de son cœur affolé et de l'impérieuse envie

de fuir qui s'était emparée d'elle, Rebecca parvint à ne pas afficher la moindre émotion.

— Oui, dit-elle tranquillement. Il me semble que vous m'avez déjà dit cela. Mais nous étions d'accord pour que nos relations restent dans un cadre amical et strictement professionnel.

— Je sais parfaitement à quoi je me suis engagé ! s'emporta Shane. Mais vous ne pouvez pas m'obliger à aimer cela.

Vaillamment, le regard de Rebecca s'accrochait à ses yeux verts, dans lesquels une tempête venait de se lever. Malgré ce qu'elle avait confié le matin même à Regan, elle hésitait à découvrir l'amour entre les bras d'un homme dont l'impatience n'était que trop évidente. Il y avait encore entre eux trop de tensions, de non-dits. Tout cela allait trop vite, trop loin. Il lui fallait faire un pas en arrière avant d'avoir à le regretter. A tout prendre, elle préférait encore avoir à affronter sa colère plutôt que la passion qui couvait en lui.

— Vous est-il venu à l'esprit, demanda-t-elle sur un ton toujours égal, que vous vous mettez en colère parce que je ne réagis pas à vos avances comme la plupart des femmes vous y ont habitué ?

Sans lui laisser le temps de répondre, elle saisit les mains qu'il avait posées sur ses hanches et se libéra d'un coup sec, avant d'aller se rasseoir à son poste de travail et de chausser d'un geste très digne ses lunettes.

Shane, figé sur place, la vit faire en luttant contre la fureur qui montait en lui, ce qui pour un MacKade n'était pas un combat gagné d'avance. Puis, comprenant qu'il n'y parviendrait pas, il marcha sans un mot jusqu'à la porte qu'il claqua derrière lui. Une fois dehors, il se demanda lequel de ses trois frères allait faire les frais de sa colère et de sa frustration.

Dès que la porte se fut violemment refermée derrière Shane, Rebecca se laissa aller contre le dossier de sa chaise, ferma les yeux, et poussa un long soupir de soulagement. Cette fois, il s'en était fallu de peu qu'elle ne lui cède…

Lorsqu'il s'était retourné d'un bloc pour l'emprisonner entre ses bras, elle avait failli envoyer valser doutes et hésitations pour se pendre à son cou. Seule l'humeur massacrante de Shane l'en avait empêchée…

Les mains croisées derrière la nuque, les yeux toujours fermés, Rebecca se laissa envahir par la quiétude retrouvée des lieux. Il lui était tellement facile de se détendre entre ces murs, dans cette pièce, qu'il lui semblait parfois y avoir vécu toute sa vie. Même le craquement des parquets la nuit ou le grincement des volets lui semblaient familiers. L'odeur de feu de bois et de cuisine mijotant dans l'âtre, celle plus discrète des pommes chaudes et de la cannelle, lui apportaient la douce sensation d'avoir enfin trouvé un foyer.

Frappée par l'incongruité de cette pensée, Rebecca tressaillit, les sens soudain aux aguets, mais se garda bien d'ouvrir les yeux. Aucun feu ne brûlait dans la cheminée. Aucun plat n'y mijotait plus depuis des décennies. Comment, dès lors, pouvait-elle les sentir ?

Lentement, avec d'infinies précautions, elle se risqua à entrouvrir les yeux. L'espace d'un battement de paupières, le décor autour d'elle sembla s'estomper, sa vision se brouiller, avant qu'une autre image, une autre réalité, ne se mettent en place… Une cuisinière antique en fonte, un feu crépitant dans la cheminée sous un chaudron de cuivre, quelques tartes mises à refroidir sur le large appui de fenêtre de l'évier, un rayon de soleil jouant sur le parquet…

Un nouveau battement de paupières, et la fugitive impression avait disparu. Près de la cheminée noire et froide, le grand réfrigérateur bourdonnait comme à l'accoutumée. Sur l'appui de fenêtre, au-dessus de l'évier, les plantes aromatiques de Shane avaient repris leur place habituelle. Ne restaient plus, pour témoigner qu'elle n'avait pas rêvé, que les odeurs de cuisine qui s'attardaient autour d'elle. Ainsi qu'à l'étage, nets et indiscutables, les pleurs caractéristiques d'un bébé…

En quelques pas, Rebecca se rua dans le living-room où elle avait installé les terminaux de contrôle de ses équipements. Elle n'avait noté aucune baisse brutale de température, mais la maison était traversée par de puissantes décharges d'énergie. Pour le savoir, elle n'avait pas besoin de contrôler les jauges de ses capteurs. Il lui suffisait de sentir l'électricité crépiter sur sa peau et soulever ses cheveux sur sa nuque.

Elle n'était plus seule… Un bébé pleurait. Remplie d'appréhension, une main serrée sur la bouche, elle enclencha le magnétophone et vit avec soulagement les diodes de l'appareil s'affoler pour confirmer qu'il y avait bien là *quelque chose* à entendre… A l'étage, une porte s'ouvrit et se referma doucement, des pas résonnèrent, un rocking-chair en se balançant fit craquer le plancher. Et les pleurs de bébé cessèrent.

Enfin, songea Rebecca avec une joie proche du ravissement, le bébé était bercé, calmé, consolé. Soudain, les larmes aux yeux, elle comprit ce que véhiculait cette débauche d'énergie — de l'amour, un amour puissant, inconditionnel, et plus fort que la mort. La maison tout entière en était emplie, en débordait... Avec un profond sentiment de joie et de reconnaissance, Rebecca s'immergea dans ce fleuve bienfaisant.

Minuit avait sonné lorsque Shane rentra chez lui, pour trouver Rebecca exactement à la place où il l'avait laissée. Même si aucun de ses frères n'avait semblé très empressé de se battre avec lui, les petites piques et les plaisanteries que Devin n'avait cessé de lui adresser au cours de la soirée avaient suffi à le calmer. Mais le fait de la retrouver comme il l'avait quittée, souriante face à son ordinateur et les lunettes glissant sur son nez, risquait fort de ranimer sa colère.

— Vous ne vous arrêtez donc jamais ?

— Hello, Shane, dit-elle d'une voix hésitante.

Avisant ses joues empourprées et son sourire ravi, Shane fronça les sourcils et s'étonna :

— Qu'est-ce qui vous arrive ?

Une main sur la poitrine, les yeux ronds, Rebecca mima une surprise excessive.

— Rien du tout ! assura-t-elle sur un ton un peu trop guilleret. Je me suis amusée avec les fantômes de cette maison. Ils sont beaucoup plus sympathiques que ceux de la maison Barlow ! Alors je me suis dit qu'il fallait fêter ça...

De plus en plus intrigué, Shane s'approcha. Près du clavier, une bouteille de vin était pratiquement vide à côté d'un verre à moitié plein. Après s'être penché pour observer ses yeux d'un peu plus près, il se redressa et laissa éclater un rire cinglant.

— Seriez-vous pompette, docteur Knight ?

Solennellement, Rebecca hocha la tête.

— Si vous vou... voulez dire que je suis ivre, bafouilla-t-elle, je suis obligée d'approuver votre diagnostic. Je suis même très, très ivre ! Je ne sais pas comment c'est arrivé. Peut-être parce que je n'ai pas arrêté de boire à la santé des fantômes...

— Avez-vous mangé quelque chose ?

— Rien du tout ! Je ne sais pas cuisiner, vous vous rappelez ?

La réplique lui sembla tellement drôle que Rebecca faillit s'étouffer de rire. Shane, amusé, ne put retenir un sourire. Elle était tellement adorable — et tellement soûle — qu'il était impossible de se mettre en colère contre elle.

Doucement, il acheva de faire glisser les lunettes le long de son nez et les posa sur la table.

— Vous pouvez vous lever ? demanda-t-il gentiment. Je vais vous aider à gagner votre chambre.

— Oh ! Shane ! protesta Rebecca en tendant les bras vers lui. Vous n'allez pas m'embrasser ?

Sur ce, elle tenta de se redresser et glissa au bas de sa chaise, avec une grâce que ne parvint pas à atténuer l'état dans lequel elle se trouvait. Jurant entre ses dents, Shane se pencha pour lui venir en aide. Mais alors qu'il la saisissait aux aisselles pour la hisser vers lui, elle en profita pour coller avidement ses lèvres aux siennes.

— Mmm, grogna-t-elle, suspendue à son cou. Je me sens tellement bien. Ma tête est toute légère et mon cœur... Voulez-vous sentir comme mon cœur bat ?

D'autorité, elle lui prit la main pour la coller contre son sein gauche.

— Vous sentez ?

— Rebecca ! gémit Shane en retirant vivement sa main. Pour l'amour du ciel, reprenez-vous...

— Pas envie, répondit-elle en riant bêtement. C'est ce que j'ai fait toute ma vie. A présent, laissez-moi vous débarrasser de ça !

Avec plus d'enthousiasme que de réelle efficacité, elle se mit en devoir de déboutonner sa chemise. Jugeant préférable d'agir vite avant que les choses ne dégénèrent, Shane glissa un bras sous ses épaules et l'autre sous ses genoux pour la soulever du sol et la mener dans sa chambre.

Alors qu'il gravissait l'escalier, Rebecca ne cessa de rire, de battre des jambes et de laisser courir ses mains sur sa poitrine et dans ses cheveux. Pestant contre le sens de l'honneur qui lui interdisait de tirer avantage de la situation, Shane se hâta de gagner le palier. Elle ne pesait pratiquement rien, mais devoir supporter ses caresses sans pouvoir se défendre lui coupait les bras et les jambes...

Dans le couloir, elle parvint à lui mordiller le lobe de l'oreille et Shane, tous les muscles bandés, dut se retenir pour ne pas crier.

— Détendez-vous, chuchota-t-elle. Et si vous faisiez comme moi ? Pour vous aider, nous pourrions peut-être prendre une bouteille au lit...

Choqué par sa proposition, Shane commit l'erreur de tourner la tête vers elle. Aussitôt, les lèvres chaudes et palpitantes de Rebecca fondirent sur sa bouche. Sens de l'honneur ou pas, il n'en était pas moins homme.

Le désir grandit en lui, lancinant, tentateur. Avec un long gémissement de protestation, il tituba en direction de la chambre d'amis sans cesser de se perdre entre ses lèvres.

— Rebecca, protesta-t-il lorsqu'ils durent tous deux reprendre leur souffle. Arrêtez ! Vous me rendez fou.

— Tant mieux ! se réjouit-elle en gloussant de plus belle. Comme ça je pourrai vous soigner puisque c'est mon métier… Embrassez-moi encore ! Vous savez ? Comme quand je peux sentir votre langue entre mes dents. J'adore quand vous faites ça…

— Oh ! Seigneur…

Dans la bouche de Shane, jamais prière n'avait été aussi fervente ni aussi sincère… Comme un exorcisme, il la répéta encore et encore en poussant du pied la porte de la chambre. Avec l'intention de l'y abandonner et de battre en retraite aussi promptement et dignement que possible, il la déposa sur son lit. Mais alors qu'il se redressait, Rebecca referma ses mains autour de son cou et le fit basculer sur le lit avec elle.

Avant qu'il ait pu faire quoi que ce soit pour l'en empêcher, les mains de Rebecca couraient comme des oiseaux frémissants le long de son corps. Sur le point de se laisser emporter par la marée de désir qui montait en lui, Shane parvint au prix d'un titanesque effort à se rappeler qu'il y avait des règles à respecter.

— Je veux que vous arrêtiez ça tout de suite !

Sans trop de douceur, il lui saisit les mains et les retint prisonnières au-dessus de sa tête, dans une position qui ne lui permettait hélas pas d'échapper au contact du corps palpitant de Rebecca. Un sourire lascif jouant sur ses lèvres, les yeux étincelants sous l'effet de l'alcool autant que du désir, elle se tortilla de plus belle contre lui et murmura :

— Vous avez l'air tellement féroce ! Cela vous rend plus sexy encore... Ne soyez pas fâché et venez donc m'embrasser.

— Je devrais plutôt vous étrangler...

Il lui donna pourtant un baiser, sauvage, passionné, et juste un peu méchant. Lorsqu'il parvint à s'en extraire, Rebecca lui souriait d'un air béat, les yeux lourds et les paupières mi-closes.

— Encore...

Dans sa bouche, cela n'avait été qu'un murmure à peine audible.

— Pas question !

Surpris lui-même par la véhémence de sa réponse, Shane comprit que tout risque de dérapage était dorénavant écarté.

— Lorsque nous ferons l'amour, reprit-il avec autant de déception que de soulagement, vous serez sobre et consciente de vos actes. Et avant que j'en aie terminé avec vous, je vous garantis que vous ne saurez même plus comment vous vous appelez !

Contre lui, Shane sentit le corps de Rebecca cesser peu à peu de bouger et s'amollir.

— O.K., répondit-elle en battant des paupières. O.K. !

Puis, après un bâillement à s'en décrocher la mâchoire, sa tête retomba sur le côté et elle sombra d'un coup dans l'inconscience.

Quelques minutes encore, Shane ne put s'empêcher de rester allongé contre elle, à l'admirer dans son sommeil. Ses lèvres s'étiraient en un sourire innocent. Sa poitrine menue s'élevait et s'abaissait au rythme apaisé de son souffle. Après avoir replacé ses bras l'un après l'autre contre ses flancs, Shane se leva pour aller chercher dans l'armoire un plaid écossais dont il recouvrit le corps endormi de Rebecca. Au moins, songea-t-il en quittant la pièce, n'aurait-elle en s'éveillant aucune raison de lui en vouloir. Quant à lui, il était loin d'être sûr qu'il pourrait en dire autant…

Le lendemain, le soleil était déjà haut dans le ciel lorsque Shane rentra de l'étable, ses corvées du matin achevées, pour se préparer un solide petit déjeuner. Le travail physique l'avait aidé à évacuer le plus gros de sa mauvaise humeur, même si le manque de sommeil accumulé depuis l'arrivée de Rebecca commençait à lui peser lourdement sur les épaules.

Son sens de l'humour l'aidait à faire face à ce qui restait de sa colère. A bien y réfléchir, songeait-il en se savonnant soigneusement les mains, la situation ne manquait pas de piquant. Qu'un homme adulte tel que lui, avec une réputation de séducteur à défendre, pût se retrouver aussi nerveux et frustré qu'un adolescent sur le point de faire le grand saut était déjà assez risible. Mais voir la respectable et très sérieuse Rebecca Knight, ivre morte, se rouler dans la débauche et la luxure, était un spectacle qui valait assurément le coup d'œil…

Cette simple pensée, tandis qu'il se servait sa première tasse de café du matin, suffit à le mettre en joie. Si Rebecca avait bien ri la veille, ce matin ce serait à son tour de s'amuser… Lorsqu'elle se réveillerait — ce qui n'arriverait sans doute pas avant une heure avancée de la matinée, voire de l'après-midi — il lui faudrait affronter une gueule de bois carabinée et des souvenirs flous. Avec un plaisir sadique, il se ferait un devoir de combler les lacunes… Et plus il la verrait se décomposer sous ses yeux, plus il lui fournirait de détails. Alors, seulement, il pourrait se montrer compatissant et lui tendre une aspirine ou deux. Bon prince, il irait même si nécessaire jusqu'à la consoler. Tout compte fait, ce ne serait pas cher payer pour la nuit misérable qu'elle venait de lui faire passer.

A présent tout à fait rasséréné, Shane ouvrit en sifflotant le réfrigérateur pour en détailler le contenu avec appétit. Les bras chargés de victuailles, il se retournait pour gagner la plaque chauffante lorsque Rebecca apparut dans l'encadrement de la porte. Aussitôt, la rengaine entraînante mourut sur ses lèvres.

La mine sévère, il fronça les sourcils pour l'examiner avec attention. Le teint pâle, les yeux lourds, le Dr Rebecca Knight, dans sa robe froissée de la veille, ne paraissait pas dans son assiette… Ses cheveux mouillés étaient emmêlés sur son crâne, ce qui signifiait sans doute qu'elle avait tenté de noyer son remords sous la douche.

— Hello, doc ! s'exclama Shane avec un sourire félin. Comment ça va ce matin ?

Soigneusement, Rebecca s'éclaircit la gorge avant de répondre.

— Bien, je vous remercie…

Son regard se posa rapidement sur la table avant de revenir vers Shane. Près de l'ordinateur reposaient toujours la bouteille et le verre, preuves de son forfait.

— Je crois que je me suis un peu… laissée aller hier soir, commença-t-elle d'un air gêné.

Shane, appuyé contre le comptoir, les bras croisés et la mine gourmande, hocha la tête d'un air entendu.

— On peut présenter les choses ainsi. Chez nous, on dirait plutôt que vous étiez soûle comme une grive...

Avant de baisser piteusement les yeux, Rebecca lui adressa un sourire contrit.

— Je ne suis pas habituée à l'alcool, expliqua-t-elle. C'était stupide de ma part de boire autant, surtout le ventre vide. Je voulais m'en excuser auprès de vous et vous remercier de m'avoir mise au lit.

Sur les lèvres de Shane, le sourire ironique n'était plus qu'un lointain souvenir. Quelque chose, dans l'attitude un peu trop sereine de Rebecca, le chagrinait en le privant de sa revanche attendue.

— Comment va votre tête ? s'enquit-il.

— Ma tête ? s'étonna-t-elle. Oh ! très bien, je vous remercie. A part l'ivresse, je découvre que je ne souffre pas des effets néfastes de l'alcool. Je dois avoir un bon métabolisme, je suppose... Je prendrais bien un peu de café.

Shane la regarda se diriger vers la cafetière et se servir une tasse sans le moindre tremblement, sans la moindre hésitation. N'y avait-il donc aucune justice ici-bas ? songea-t-il avec amertume. En dépit de sa mine de papier mâché et de ses yeux cernés, Rebecca semblait avoir le regard vif, le geste sûr, et les idées claires.

— Vous buvez la quasi-totalité d'une bouteille de vin, dit-il d'une voix cinglante, et vous vous réveillez fraîche comme une rose...

Tout en se servant une autre tasse de café, Rebecca lui adressa un nouveau sourire.

— En fait, je suis même affamée…

Shane, quant à lui, avait déjà perdu son bel appétit. Se méprenant sur les raisons de la mine lugubre qu'il affichait, Rebecca reposa sa tasse et s'approcha pour poser une main compatissante sur son avant-bras.

— Vous êtes en colère contre moi, dit-elle sur le ton du constat. Vous en avez parfaitement le droit. Je me suis montrée odieuse. J'étais complètement déchaînée. Et vous, vous vous êtes montré si patient, si gentil…

— Gentil, répéta Shane, consterné. Vous vous rappelez donc ce qui s'est passé ?

— Bien sûr !

Un peu surprise qu'il ait pu penser le contraire, Rebecca s'appuya contre le comptoir à ses côtés.

— Je n'ai pas arrêté de vous… peloter, reprit-elle avec une grimace comique. Ce n'est pas vraiment mon style… Je vous suis reconnaissante d'avoir compris que ce n'était pas moi mais le vin qui parlait. Vous savez, je n'aurais pas pu vous en vouloir si vous m'aviez laissée cuver au pied de ma chaise…

Comme si elle était bien plus amusée que honteuse de ses exploits, Rebecca pouffa de rire avant de poursuivre :

— Je suppose que je ne devais pas être belle à voir… Je ne pense pas qu'une pauvre folle complètement soûle puisse être attirante à vos yeux, mais je vous suis reconnaissante de vous être montré si… correct.

Rebecca n'avait même pas la courtoisie de se montrer repentante, songea Shane avec plus d'effarement que de colère. Pire encore, elle avait le culot de faire de lui une sorte de saint asexué…

— Vous étiez épouvantable, grogna-t-il, pour enfoncer le clou.

— C'est peu de le dire…

Le rire joyeux qui ponctua ces paroles acheva de réduire à néant la patience de Shane.

— Pourtant, conclut-elle sur un ton guilleret, c'était une expérience intéressante. Je n'avais jamais été aussi ivre, et je pense que je ne le serai jamais plus. Heureusement, j'ai eu la chance que ce soit vous qui vous occupiez de moi… Pourrais-je avoir une tranche de bacon ?

Shane était calme, même s'il entendait à ses tympans la rumeur de son sang battant dans ses veines. Aussi, ce fut d'une voix parfaitement calme et maîtrisée qu'il demanda :

— Etes-vous sobre à présent, Rebecca ?

— Comme un chameau. Je prendrai bien aussi un œuf ou deux…

Lentement, Shane hocha la tête, sans la quitter des yeux, un sourire indéchiffrable au coin des lèvres.

— Vous avez les idées claires ? insista-t-il. Toutes vos facultés sont en ordre ?

Rebecca s'apprêtait à répondre, mais quelque chose dans le ton de sa voix déclencha une alarme au fond de son crâne. Prudemment, elle tourna la tête pour le dévisager. Dans les yeux de Shane, il y avait une lueur dangereuse qui la tétanisa et lui fit faire un pas de côté.

— Shane, non !

Sourd à ses protestations, Shane marcha sur elle, le regard farouche et les muscles bandés. Lorsque le dos de Rebecca vint buter contre le réfrigérateur et que toute retraite lui fut coupée, il se jeta sur elle pour lui dévorer le visage de baisers.

— Ainsi, grogna-t-il entre deux assauts de ses lèvres déchaînées, vous étiez trop ivre pour être attirante.

Faiblement, Rebecca tenta de le repousser.

— J'étais gentil, renchérit-il avec hargne. Compréhensif ! Patient… Voulez-vous que je vous montre ce que cela aurait donné si j'avais été moins *correct* ?

De toute la puissance de son corps, Shane s'employa à lui en donner un aperçu. Dévorée par ces lèvres affamées, dévastée par ces mains impitoyables qui lui parcouraient le corps, Rebecca lutta pour retrouver son souffle, pour rassembler le peu de volonté qui lui restait. Mais en dépit de tous ses efforts, elle se sentit fondre sous ses caresses, et abdiquer sous ses baisers.

— Nous y voilà, murmura Shane, soulevant le menton de Rebecca pour admirer son visage bouleversé par les émotions qui se bousculaient en elle. Si vous devez me dire non, vous avez tout intérêt à le faire maintenant, et à parler d'une voix haute et claire… Osez prétendre que vous n'avez pas envie de moi…

Prise de panique, Rebecca sentit son cœur s'affoler. Mais en ouvrant les paupières, elle comprit que c'était sous l'effet du désir bien plus que de la peur.

— Je ne peux pas, lâcha-t-elle dans un souffle. Ce ne serait pas vrai.

Dans les beaux yeux de Shane, aux couleurs d'océan, fulgura une lueur de triomphe qui la fit frissonner.

Chapitre 8

Rebecca aurait voulu capturer précieusement pour les garder à tout jamais en elle chacune des secondes qu'elle était en train de vivre. Elle aurait voulu pouvoir se remémorer l'incroyable bonheur d'être emportée par ces bras puissants, d'être désirée, avec une telle urgence, par un homme aussi beau, d'être embrassée, pas après pas, par ces lèvres gourmandes. Désormais, peu lui importait de savoir si Shane se montrerait rude ou tendre, patient ou impatient, du moment qu'il ne cessait pas de la désirer comme il la désirait à cet instant.

Tandis qu'il grimpait en toute hâte l'escalier, Rebecca referma les bras avec un soupir de ravissement autour de son cou. Ils n'avaient pas encore atteint le palier que ses doigts fébriles s'acharnaient déjà à déboutonner sa chemise. Avec une urgence presque douloureuse, elle voulait le toucher, le sentir, le caresser, partout à la fois.

Shane était hilare et à bout de souffle lorsqu'ils parvinrent à la porte de sa chambre.

— Cela ressemble beaucoup à la nuit passée, murmura-t-il en la déposant sur le lit. En mieux…

Tandis qu'il s'allongeait auprès d'elle, Rebecca, toujours aux prises avec ses boutonnières récalcitrantes, s'impatienta en riant :

— Tu ne pourrais pas m'aider ?

Le voyant promptement se débarrasser de sa chemise en la faisant glisser par-dessus sa tête sans la déboutonner, Rebecca se mit à rire de plus belle. Que l'humour pût ne pas être absent du désir, que le plaisir pût aussi être un jeu, était pour elle une découverte.

— Pour toi, commenta Shane en s'attaquant à la fermeture de sa robe, ce sera plus facile.

En quelques gestes habiles qui démontraient l'habitude, il eut tôt fait de la déshabiller. Surprise de ne pas ressentir la moindre gêne à se retrouver nue devant lui, Rebecca se laissa admirer avec un sentiment de fierté.

Shane ne savait où poser les yeux. Partout où se portait son regard, il ne découvrait qu'étendues de peau douce et nacrée. Les jambes interminables, le torse cambré, les seins menus et attirants comme des fruits goûteux, Rebecca avait la beauté longiligne de ces femmes du Japon médiéval immortalisées par les estampes.

N'écoutant que son instinct, Shane fondit avec un grondement animal sur son sein gauche, dont il emprisonna avidement la pointe entre ses lèvres. Le choc pour Rebecca fut tel qu'elle se cabra sur le lit en poussant un gémissement sourd. Depuis l'épicentre du séisme qui la ravageait irradiaient des sensations bouleversantes et inédites pour elle. Comment était-il possible de survivre à un tel déluge de plaisir ? Comment avait-elle pu vivre si longtemps en ignorant même qu'un tel bonheur fût possible ?

Pantelante, elle roulait d'un bord à l'autre du lit, incapable de déterminer si elle fuyait ainsi les caresses de Shane ou si au contraire elle les recherchait. Sous ses paumes, elle avait la sensation d'avoir la peau brûlante. Des torrents de lave coulaient dans ses veines. A ses oreilles, son pouls affolé battait comme un tambour. De sa bouche, de ses mains, de tout son corps pressé contre le sien, il semblait avoir décidé de lui faire perdre la tête. Un vent de panique souffla dans son esprit. Etait-il possible de devenir folle, voire de mourir — de plaisir ?

Shane ne parvenait pas à se rassasier de cette peau laiteuse et douce comme celle d'un bébé, de cette chair tendre et ferme à la fois, de ces seins frémissants, aux aréoles roses et dressées. Emporté par une frénésie érotique, il lui semblait qu'il aurait pu la manger vive. Le corps de Rebecca embaumait encore de sa récente douche, et jamais la simple odeur du savon ne lui avait paru aussi excitante…

Dressée contre lui, luttant avec lui, Rebecca paraissait partager la fièvre qui lui embrasait le corps. Ces yeux merveilleux, dont le souvenir ne cessait de lui hanter l'esprit, flamboyaient à présent d'une couleur analogue à celle d'un vieux whisky. A chaque caresse qu'il lui prodiguait, elle répondait comme si personne ne l'avait jamais caressée ainsi. Aucune femme avant elle ne lui avait procuré cette sensation de puissance et de liberté qui le grisait.

Soudain emporté par le désir impérieux d'aller plus loin, d'obtenir d'elle plus encore, Shane se redressa pour se débarrasser du reste de ses vêtements. Enfin, ils furent nus l'un contre l'autre, et sa main aux doigts curieux s'égara dans l'intimité moite et chaude de Rebecca. Comme électrisée par ce contact, elle se raidit entre ses bras, les doigts crispés sur le drap, le souffle court. Puis elle se fit sauvage et déchaînée, s'arc-boutant des pieds et des épaules pour se prêter sans honte à ses caresses.

Bouleversé par l'enthousiasme et la passion avec lesquels elle répondait à ses initiatives, Shane sentit ses derniers restes de patience et de maîtrise de soi s'envoler.

— Je n'en peux plus d'attendre, grogna-t-il d'une voix rauque.

— Moi non plus, murmura-t-elle sans cesser de s'agiter sur le lit. Viens… Viens vite !

Avec une force dont il ne l'aurait jamais crue capable, Shane sentit les mains de Rebecca se refermer sur ses hanches pour l'attirer à elle. Alors, emporté par un élan trop puissant pour être raisonné, il prit place avec une impatience de jouvenceau entre ses jambes. D'un seul coup de rein, il s'introduisit en elle et se figea soudain, les yeux écarquillés d'effroi. Alors qu'emporté par ce coup de boutoir venait de céder l'hymen qui la faisait vierge, Rebecca n'avait poussé qu'un seul petit cri étranglé.

Prenant garde de ne surtout pas bouger, Shane se redressa sur les coudes pour observer son visage avec inquiétude.

— Rebecca, gémit-il. Seigneur ! Je ne voulais pas…

Les paupières closes et les lèvres retroussées en un douloureux rictus, Rebecca secouait la tête dans l'oreiller. Pour toute réponse, elle souleva les jambes et vint les refermer autour de ses hanches, en un geste qui ne fit qu'approfondir encore leur union. Sentant monter en lui le besoin animal et plus fort que tout de posséder ce corps ouvert à lui, Shane dut se retenir pour ne pas crier. Puis Rebecca se mit à onduler des hanches en geignant doucement et il sentit, sans pouvoir rien faire pour l'en empêcher, son corps se mettre au diapason pour lui répondre avec passion.

Anéanti, Shane se laissa retomber comme une masse sur le corps de Rebecca, essayant en vain de retrouver des forces et de rassembler ses esprits.

— Je suis désolé…

Ce fut tout ce qu'il fut capable de dire, et ce ne fut guère plus qu'un murmure. Il le savait, il lui fallait bouger, pour libérer le corps de Rebecca écrasé sous le sien, mais il se sentait trop faible pour consentir au moindre geste. Il ne se rappelait pas, au cours de toute son existence, avoir jamais connu d'expérience sexuelle aussi satisfaisante, aussi intense.

La culpabilité de l'avoir involontairement déflorée l'empêchait pourtant de pouvoir s'en réjouir. Contre lui, il sentait le corps de Rebecca tressaillir et il craignait de lever les yeux sur elle, de peur de la découvrir en pleurs.

— Rebecca, parvint-il enfin à murmurer en roulant sur le côté. Pourquoi ne m'as-tu rien dit ? J'aurais pris des précautions, j'aurais pu ne pas te faire mal ainsi…

D'un coup, comme sous l'effet d'une intense surprise, Rebecca ouvrit les yeux. Leur couleur dorée n'était plus qu'un mince anneau autour de pupilles dilatées… sous le coup de la douleur, songea Shane en se maudissant de plus belle.

— De quoi parles-tu ? s'étonna-t-elle avec un sourire radieux. Tu ne m'as pas fait mal. Jamais je ne me suis sentie aussi merveilleusement bien !

— Mais…

— Est-ce que ça fait toujours cet effet-là ?

Comme un chat repu de caresses, Rebecca ferma les yeux et s'étira voluptueusement.

— Est-ce toujours aussi fort, reprit-elle avec curiosité, aussi puissant, aussi… primitif ? Je n'étais pas sûre de savoir me débrouiller le moment venu, mais je n'ai pas été trop empotée, n'est-ce pas ?

Shane avait l'impression de nager en plein délire. Pourquoi n'était-elle pas en colère contre lui ? Et qu'était-il censé répondre à une telle question ?

— Rebecca, dit-il en s'efforçant de rester calme. Tu n'avais jamais fait l'amour avec aucun homme avant moi…

Instantanément, le sourire de Rebecca s'éclipsa de ses lèvres.

— Parce que je n'avais jamais eu envie d'aucun homme avant toi, murmura-t-elle en détournant les yeux. Je n'ai pas été à la hauteur, c'est cela ? Je suis désolée si j'ai fait sans le savoir quelque chose qui t'a déplu. Ou si je n'ai pas su faire ce qu'il fallait pour te plaire. Il ne faut pas m'en vouloir. C'était la première fois. Je pensais que tu aurais pu le comprendre et te montrer indulgent…

Drapée dans sa dignité, Rebecca s'était déjà assise au bord du lit et s'apprêtait à se lever lorsque Shane, jurant sourdement entre ses dents, la retint par le bras.

— Rebecca, écoute-moi ! lança-t-il à bout de patience. Ceci n'était pas un examen et je n'ai pas l'intention de te décerner le moindre diplôme, mais tu dois savoir…

Submergé par le souvenir des instants bouleversants qu'ils venaient de vivre, il secoua la tête et dut s'éclaircir la gorge avant de conclure :

— Tu m'as anéanti… Jamais je n'avais ressenti,

dans les bras d'aucune femme, ce que j'ai ressenti entre les tiens.

Manifestement soulagée, Rebecca se détendit et lui caressa la joue avec un sourire attendri.

— Venant de toi, dit-elle, je ne peux prendre cela que comme un compliment…

Shane lui rendit son sourire et saisit la main qui s'était attardée sur sa joue pour lui embrasser tendrement les doigts.

— Pourquoi ne m'as-tu rien dit ? insista-t-il. Si j'avais su, je me serais montré plus attentif, plus patient, moins… rude.

Rebecca laissa éclater un rire joyeux.

— Rassure-toi, répondit-elle, j'étais bien trop submergée par le plaisir pour ressentir la moindre douleur. Et si je ne t'ai rien dit, c'est parce que je craignais que tu ne veuilles plus de moi, que tu ne préfères les caresses d'une femme plus… expérimentée.

Incrédule, Shane secoua la tête.

— Qui diable es-tu ? murmura-t-il dans un souffle. Pourquoi est-ce que je n'arrive pas à te comprendre ?

— Sans doute, répliqua Rebecca avec un soupir, parce que j'ai déjà bien du mal à me comprendre moi-même.

Penchée sur lui, elle effleura doucement ses lèvres avec les siennes et soupira de bonheur lorsqu'il se rapprocha pour la serrer entre ses bras.

— Tu es un amant merveilleux, chuchota-t-elle, la joue nichée contre sa poitrine. Je veux que nous recommencions souvent.

Après avoir déposé sur ses lèvres un ultime baiser,

Shane se leva en hâte pour résister à la tentation de lui donner satisfaction sur-le-champ.

— Hélas, dit-il en rassemblant ses vêtements épars, mon travail m'attend. Sinon, je me serais fait une joie de recommencer tout de suite.

— Peux-tu travailler vite ?

Le cœur battant, Shane se retourna sur le seuil. Innocente et nue, assise au bord du lit, les mains serrées contre sa poitrine, Rebecca lui souriait ingénument.

— Je crois qu'aujourd'hui je vais battre des records, répondit-il, la gorge serrée.

Pour Rebecca également, l'heure était largement passée de se mettre au travail. Pourtant, bien longtemps après qu'elle eut entendu les pas de Shane décroître dans l'escalier, elle demeura assise au bord du lit, un sourire rêveur jouant sur ses lèvres.

Avec un sentiment d'euphorie, elle se remémora les paroles de Shane... Ainsi, elle l'avait comblé de bonheur. Elle l'avait même anéanti de plaisir... Qu'il était doux d'être une femme et de pouvoir inspirer à un homme de tels déchaînements de passion ! Il lui fallait presque se pincer pour y croire... Le Dr Rebecca Knight — ex-enfant surdouée et vierge attardée, prodige universitaire et godiche certifiée — avait un amant pour lequel bien des femmes se seraient battues.

Avec un petit gloussement de plaisir, Rebecca se glissa dans le lit, le drap relevé jusqu'au menton, et se laissa aller à la rêverie dans la douce tiédeur des oreillers. Dans ce lit qui était celui de Shane s'attardait son odeur, à présent reconnaissable pour elle entre mille.

Aussitôt, son image s'imposa dans son esprit, visage d'ange tentateur et facétieux, mains de travailleur de force, corps d'athlète…

Encore n'était-ce là qu'une apparence extérieure peu représentative de sa personnalité réelle. Pour elle, il ne faisait aucun doute que Shane MacKade — avec les femmes, du moins — se montrait prévenant et doux, gentil et respectueux. Sans doute était-il particulièrement volage, mais cela ne faisait, curieusement, qu'ajouter encore à son charme…

Fidélité mise à part, Shane était un homme sur qui on pouvait compter, un homme de parole, travailleur acharné, aimant sa famille et ses racines, capable qui plus est de se remettre en cause et de rire de lui-même. Pour couronner le tout, les travaux domestiques n'avaient pas de secret pour lui et il cuisinait comme un chef français…

Selon les critères de Rebecca, si ce n'était pas la perfection, cela y ressemblait beaucoup. Et c'était une chance qu'elle, qui découvrait l'amour, soit tombée amoureuse d'un homme tel que lui.

Emergeant brutalement de ses pensées, Rebecca sursauta et fronça les sourcils. Pourquoi donc fallait-il qu'elle se mette à penser comme une midinette ? songea-t-elle en se redressant contre les oreillers avec un sentiment de malaise. Elle savait pourtant à quel point il était dangereux de mêler sexe et sentiment. Confondre attirance sexuelle et sentiment amoureux était une réaction typiquement féminine. Elle qui avait passé une bonne partie de son existence à étudier les ressorts de l'âme humaine n'allait tout de même pas se laisser prendre à ce piège…

Alors que progressait en elle cette prise de conscience, Rebecca se laissa de nouveau couler dans les profondeurs du lit. Elle était trop intelligente et trop honnête pour se bercer longtemps d'illusions. L'habitude de disséquer la moindre émotion, la peur de s'engager et de souffrir, ne changeraient rien au fait qu'elle était amoureuse de Shane.

Pire encore, elle était tombée amoureuse de lui au premier regard, comme pour se conformer aux clichés romantiques les plus éculés. Le fait d'avoir travesti cette réalité, de lui avoir donné d'autres noms, d'avoir voulu l'ignorer, n'y avait rien changé.

Accepter ce constat ne réglait pourtant pas tout, comprit-elle en rejetant le drap pour se lever. Quelques mois auparavant, elle aurait aisément résolu le problème en s'enfuyant à toutes jambes. Aujourd'hui, c'était Shane qui risquait de détaler comme un lapin si elle se laissait aller à lui avouer la réalité des sentiments qu'elle nourrissait à son égard. Mais, au fond, ne serait-ce pas là encore une expérience intéressante à vivre, une émotion à ajouter à toutes celles qu'elle s'était finalement autorisée à ressentir ?

La seule manière sensée de réagir était encore d'apprécier à son juste prix chaque seconde de ce bonheur inespéré. C'est du moins ce qu'elle décida en rassemblant ses vêtements pour s'habiller. Ensuite, il serait toujours temps de voir venir. Et même s'il lui fallait souffrir de voir Shane s'envoler vers d'autres bras, ce ne serait pas cher payer pour le bonheur qu'il lui aurait donné.

Comme elle avait mis de nombreuses années à le comprendre, mieux valait encore souffrir que de ne rien connaître, de ne rien avoir, de ne rien être dans l'existence…

A son retour du travail, en début d'après-midi, Shane était assoiffé et trempé de sueur. L'été finissant, en ces premiers jours de septembre ensoleillés, dispensait généreusement ses dernières chaleurs. Outre la poussière dont il était couvert, Shane avait bien peur de traîner derrière lui l'odeur tenace du fumier qu'il venait d'épandre.

Malgré la fatigue, il avait réussi à travailler suffisamment vite pour s'assurer deux bonnes heures de temps libre. Il savait parfaitement ce qu'il voulait en faire, et cette perspective accrochait un sourire à ses lèvres lorsqu'il pénétra dans la cuisine.

Rebecca était assise à sa place habituelle, les lunettes perchées sur son nez de manière comique, ses longs doigts fins courant à la vitesse de la lumière sur son clavier. Quand elle plissa les yeux pour le regarder, Shane sentit une pointe de désir lui vriller douloureusement les tripes.

— Tu es tellement belle…

En murmurant ces mots, il s'aperçut qu'il s'accrochait pour ne pas chanceler à la poignée de la porte. En la refermant doucement, il s'efforça de se reprendre. Il avait beau chercher, il ne se rappelait pas qu'une femme ait jamais produit sur lui un tel effet. Fallait-il n'y voir que l'attrait de la nouveauté ? Shane n'en avait pas la moindre idée, mais il était certain en revanche d'avoir envie de le vérifier au plus vite.

— J'ai préparé du thé glacé, annonça Rebecca en le voyant se diriger vers le réfrigérateur.

Shane se servit un grand verre.

— Merci, répondit-il. Avec cette chaleur, je crois que je pourrais en boire un tonneau entier…

Mais dès que le liquide eut commencé à couler dans sa gorge, il s'empressa avec une grimace d'éloigner le verre de sa bouche pour en observer le contenu d'un œil suspicieux.

— Rebecca ? demanda-t-il. Combien de sachets as-tu utilisés ?

Interrompant son travail, elle se tourna pour le regarder avec inquiétude.

— Une douzaine, pourquoi ?

Prudemment, Shane reposa le verre.

— C'est assez fort pour réveiller un mort…

Comprenant son erreur, Rebecca eut un sourire désolé et baissa les yeux.

— J'imagine qu'il n'était pas non plus nécessaire de le laisser infuser pendant trois heures ? reprit-elle.

— Non, reconnut Shane. Trois minutes auraient suffi. Aucune importance, nous pourrons le diluer.

Pleine de bonne volonté, Rebecca se leva et proposa :

— Veux-tu que je te prépare un sandwich ?

— Inutile ! Je vais m'en charger.

La voyant venir à sa rencontre, il ajouta aussitôt :

— J'ai bien peur de sentir la vache, tu ferais mieux de ne pas t'approcher…

Sans tenir compte de l'avertissement, Rebecca marcha lentement vers lui, passant sur ses lèvres une langue gourmande.

— Tu es affreusement sale, murmura-t-elle comme

pour elle-même. Et tout en sueur... Si tu enlevais ta chemise ?

— Tu vas droit au but ! plaisanta Shane sans cesser de marcher à reculons vers l'évier. J'aime la franchise chez une femme. Mais quoi qu'il m'en coûte, je préfère ne pas te toucher pour l'instant. Tu ne voudrais tout de même pas ruiner ce joli T-shirt !

Soudain alarmée, Rebecca fronça les sourcils en découvrant les mains qu'il lui montrait.

— Mais... Tu saignes !

— Ce n'est rien, la rassura Shane en venant buter contre l'évier. Je me suis écorché en resserrant un boulon. Un peu d'eau et de savon et il n'y paraîtra plus.

— Je m'en charge...

Avant qu'il ait pu se soustraire à ses soins, elle s'empara de son avant-bras et fit couler l'eau dans l'évier. L'une après l'autre, elle mouilla et savonna soigneusement ses deux mains, prenant garde de masser doucement la phalange blessée. Envahi par une trouble langueur, Shane se laissa faire sans protester. Tous les sens émoustillés par la proximité immédiate de Rebecca, il se prit à rêver à leurs corps ruisselants glissant l'un contre l'autre, dans les flots de vapeur d'une douche commune.

Comme si elle avait deviné le tour que prenaient ses pensées, Rebecca l'observa à la dérobée tout en lui séchant les mains.

— A quoi penses-tu ? demanda-t-elle d'un air mutin.

— J'étais en train de me demander si tu portais quelque chose là-dessous, répondit-il sans quitter des yeux sa poitrine.

— Rien du tout, dit-elle avec un sourire coquin. Tu veux t'en assurer par toi-même ?

— Comment as-tu deviné ?

Vive comme l'éclair, Rebecca lui échappa juste avant que ses mains ne se posent sur ses hanches et alla se réfugier derrière l'une des extrémités de la grande table en chêne.

— Après le déjeuner, proposa-t-elle d'une voix raisonnable.

Les lèvres de Shane s'incurvèrent en un sourire carnassier. Ses yeux s'éclairèrent d'une lueur de désir qui la fit frissonner. Ramassé sur lui-même, tandis qu'il marchait vers elle, il avait l'air merveilleusement dangereux...

— Je n'ai pas besoin de déjeuner, assura-t-il. J'ai pris un petit déjeuner tardif. Un bon gros petit déjeuner tardif...

Comme un fauve bondissant sur sa proie, il fondit brusquement sur elle mais Rebecca parvint à lui échapper une nouvelle fois et courut se mettre à l'abri à l'autre extrémité de la table.

— Tu es rapide, reconnut-il.

— Je sais.

Un nouveau bond imprévisible et cette fois il l'emprisonnait dans ses bras, la soulevant de terre pour la faire tourner autour de lui.

— Mais je suis quand même plus rapide que toi ! triompha-t-il en lui dévorant le cou de baisers.

Les yeux clos, la tête rejetée en arrière, Rebecca ne cessait de rire comme une petite fille amusée par un nouveau jeu.

— Je me suis laissé attraper ! avoua-t-elle entre

deux hoquets. Repose-moi par terre ! Je vais être ivre de nouveau…

— Tant mieux ! rugit-il en la faisant tourbillonner de plus belle. Comme ça je pourrai abuser de toi…

Pris à son propre jeu, Shane accéléra encore l'allure. Il était grisant de constater qu'il lui était possible d'un seul bras d'empêcher Rebecca de toucher terre. Grisant et même un peu excitant… Son rire cascadait à ses oreilles comme une source cristalline, douce et familière. Contre lui, le contact de son corps lui parut soudain vital et aussi essentiel que la terre qui le portait.

— John ! l'entendit-il protester d'une voix qui ne lui ressemblait guère. Repose-moi, par pitié ! Le dîner est en train de brûler.

Tout d'abord, Rebecca ne prit pas conscience de l'étrangeté de ces paroles. Puis il lui parut urgent d'aller décrocher la marmite dans la cheminée — l'odeur de ragoût brûlé lui parvenait déjà. Il allait encore lui falloir des heures pour en nettoyer le fond. Mais plus près d'elle, il y avait aussi la bonne odeur de fumée, de foin et de transpiration de son John, et il était plus que tentant de se laisser entraîner… C'est alors que, sous son tablier, le bébé qu'elle portait se manifesta pour la première fois.

Pris de panique, Shane arrêta dès qu'il le put leur manège endiablé et la reposa prudemment sur le sol.

— Rebecca ? s'inquiéta-t-il, la gorge serrée par l'angoisse. Qu'est-ce qui se passe ?

Accrochée à son cou comme un naufragé à sa bouée, Rebecca avait les lèvres gonflées, les joues en feu, le visage très pâle.

— Ça recommence ! se réjouit-elle avec un sourire

ravi, sans même ouvrir les yeux. Ils reviennent... Ça recommence comme hier soir !

Sa voix rêveuse et assourdie semblait lui parvenir de très loin.

— Tu sens ? demanda-t-elle. Un ragoût mijote dans la cheminée. Il est en train de brûler. John ? As-tu rapporté du bois pour le feu ?

Tandis qu'elle caressait d'une main son ventre plat, son sourire s'élargit encore sur ses lèvres.

— Cette fois, murmura-t-elle, ce sera une fille. Johnny va avoir une sœur !

C'est alors que Rebecca, semblant émerger brusquement de la transe inquiétante qu'elle venait de connaître, se redressa et ouvrit des yeux clairs et scintillant d'excitation.

— Mon matériel ! s'exclama-t-elle en se précipitant sans un mot d'explication vers le salon.

Dépassé par les événements, Shane la suivit sans mot dire.

— Regarde ça ! s'écria-t-elle en consultant ses écrans. Les tracés sont encore plus nets que la nuit dernière... Tu sens toute cette énergie ? Il y a tant d'électricité dans l'air que j'en ai la chair de poule.

Se rendant compte que Shane restait sur le seuil de la pièce, et la contemplait sans dire un mot, l'air buté et les bras croisés, Rebecca n'insista pas et reporta son attention sur les moniteurs de contrôle. Tout entière à son travail, le regard vif, le geste précis, elle s'empara de son Dictaphone et l'approcha de ses lèvres.

— Début du phénomène, dit-elle d'une voix tendue, 13 heures 20 minutes et 5 secondes. Sensations visuelles, olfactives. Expérience de ce qui pourrait être un transfert de personnalité d'ordre médiumnique... Sensation débordante de bien-être, de bonheur... d'amour. Appétence sexuelle peut-être due à une stimulation antérieure étrangère au phénomène, à moins que celle-ci n'ait servi de catalyseur.

Comme fascinée par cette hypothèse, Rebecca enclencha la pause et tapota quelques instants ses lèvres de son index avant de conclure :

— Fin du phénomène à 13 heures 24 minutes et 58 secondes, ce qui en quatre minutes et cinquante-trois secondes en fait le plus long à ce jour.

Avec un long soupir, elle reposa le Dictaphone et se laissa glisser sur le sofa en murmurant pour elle-même :

— Et le plus puissant également...

Depuis le seuil de la pièce où il était resté accoudé, Shane dit enfin d'une voix sourde :

— Stimulation antérieure ?

Avec un sursaut, Rebecca émergea de ses pensées et se tourna vers lui.

— Je te demande pardon ?

— C'est ainsi, reprit-il sur le même ton, que tu considères ce que nous étions en train de faire : *une stimulation antérieure étrangère au phénomène* ?

Ne voyant pas où se situait le problème, Rebecca prit le temps de remettre un peu d'ordre dans sa chevelure malmenée avant de répondre.

— Techniquement parlant, répondit-elle enfin, c'est ainsi que l'on peut voir les choses, en effet.

Puis, trop excitée pour s'inquiéter de la colère naissante de Shane, Rebecca s'appliqua à lui faire comprendre l'importance des instants qu'ils venaient de vivre.

— La nuit dernière, c'était déjà absolument incroyable ! J'étais assise dans la cuisine, et d'un coup je l'ai vue changer à mes yeux. Une antique cuisinière remplaçait le frigo. Dans la cheminée, vide l'instant d'avant, un feu crépitait sous un chaudron. Des tartes refroidissaient sur l'appui de fenêtre, où se trouvent à présent tes plantes aromatiques… Je pouvais les sentir !

Une intense excitation étincelait au fond des yeux de Rebecca. Shane ne l'avait jamais vue aussi agitée.

— Mais ce n'est pas tout ! ajouta-t-elle avec un air gourmand. Me croiras-tu si je te dis qu'un bébé pleurait dans une des chambres à l'étage ? Mieux encore : mon magnétophone l'a enregistré !

Pour tenter d'apaiser le feu qui les embrasait, Rebecca posa les paumes de ses mains sur ses joues.

— Au début, s'enthousiasma-t-elle, j'avais tellement de mal à y croire que j'ai dû écouter la bande une bonne douzaine de fois. Voilà pourquoi j'ai sorti la bouteille de vin. Pour un toast de victoire, hélas suivi d'un autre, et de bien d'autres encore… Je voulais te le dire ce matin, mais nous avons été distraits…

— Distraits, répéta Shane en hochant la tête d'un air lugubre.

Finalement, la sécheresse du ton de sa voix, le regard glacial qu'il posait sur elle, finirent par alerter Rebecca et par doucher son bel enthousiasme.

— Shane ? demanda-t-elle très calmement. Pourquoi es-tu en colère ?

— Parce que tout cela n'a aucun sens ! s'emporta-t-il en s'avançant pour déambuler comme un fauve en cage devant elle. Et parce que je déteste être considéré comme une *stimulation antérieure* !

Sans se laisser impressionner, Rebecca répliqua d'une voix sèche :

— Prétexte… Le problème est ailleurs.

— Ne recommence pas à m'analyser ! prévint-il, exaspéré.

— En fait, poursuivit Rebecca sans le quitter des yeux, tu n'es pas en colère, tu as peur.

L'espace d'un instant, le regard de Shane se fit meurtrier.

— J'ai des choses à faire.

Sans autre commentaire, il tourna les talons. Il s'apprêtait à sortir lorsque Rebecca le rejoignit dans la cuisine et le retint par le bras.

— Rappelle-toi… Tu avais promis de m'aider dans mon projet !

— Fiche-moi la paix !

D'un geste brusque, il se libéra de son emprise et la contourna pour gagner la porte de service. Sans hésiter, Rebecca le rattrapa et vint se planter devant lui, les mains sur les hanches. S'il l'avait souhaité, Shane aurait pu l'écarter de son chemin. Il avait la force et le tempérament pour le faire. Pourtant, elle le connaissait suffisamment à présent pour savoir qu'elle n'avait rien à craindre de lui, même fâché contre elle.

— Tu as vécu cette expérience, toi aussi, murmura-t-elle, les yeux rivés aux siens. Tu as ressenti les mêmes choses que moi, au même moment… Je le vois sur ton visage !

Préférant la contourner une fois encore, plutôt que de chercher à forcer le passage, Shane se remit en route vers la porte.

— Fiche-moi la paix ! cria-t-il de nouveau par-dessus son épaule.

— Qui étaient John et Sarah ? demanda-t-elle sans se décourager.

Le voyant se figer sur le seuil, la main serrée sur la poignée, Rebecca s'empressa, pleine d'espoir, de poursuivre sur sa lancée.

— La femme s'appelait Sarah. Son mari, John. Qui étaient-ils, Shane ? Qui étions-nous tous les deux, il y a quelques minutes à peine ?

— Je suis exactement le même qu'il y a quelques minutes, répondit-il d'une voix grondante de colère, sans prendre la peine de se retourner. Et toi aussi. A présent, si tu veux continuer ce petit jeu, fais-le sans moi !

— John et Sarah ! répéta Rebecca avec obstination. Etaient-ce John et Sarah MacKade ? Trouverai-je leur nom sur la tombe familiale, au cimetière d'Antietam ?

D'un bond, Shane fit volte-face. Un instant, Rebecca craignit qu'il ne se précipite sur elle, avant de le voir avec soulagement se diriger vers le réfrigérateur pour y prendre une bière. Après l'avoir décapsulée d'un geste sec, il la porta à ses lèvres et en but au goulot une bonne moitié avant de répondre :

— John et Sarah MacKade étaient mes arrière-grands-parents.

Rebecca laissa échapper un long soupir de contentement.

— Ceux qui ont tenté de sauver le jeune soldat de l'Union venu s'effondrer chez eux, le jour de la bataille, ajouta-t-elle.

— Selon la légende, oui.

— T'est-il déjà arrivé de vivre des expériences du même ordre, dans le passé ?

— Arrête tout de suite, Becky !

Cette fois, Rebecca comprit en le dévisageant qu'il ne plaisantait plus.

— Désolée... Je sais que tout ceci t'exaspère, aussi je n'insisterai pas.

Après avoir franchi les quelques pas qui les séparaient, elle s'efforça d'effacer la tension qui était apparue entre eux en laissant courir ses mains de bas en haut le long de ses bras.

— Puis-je au moins te dire que je fais depuis quelques années des rêves récurrents dont je sais à présent qu'ils concernent cette maison et ceux qui l'ont occupée dans le passé ? reprit-elle en cherchant son regard.

Le voyant lever les yeux au ciel, Rebecca se tut et hésita un court instant. Etait-il encore trop tôt pour partager avec cet homme qu'elle connaissait à peine quelque chose d'aussi intime, d'aussi sensible ? Pourtant, curieusement, ce fut la sensation de connaître Shane depuis toujours qui lui donna la force de poursuivre.

— C'est principalement à cause de ces rêves que j'ai commencé à m'intéresser aux manifestations paranormales. Ils étaient — ils sont — tellement puissants, tellement réalistes, qu'ils ne peuvent être le fruit de mon subconscient. Bien avant mon arrivée à Antietam, j'ai vu en rêve cette maison, cette cuisine, telles qu'elles devaient être à l'époque de la guerre civile. A de nombreuses reprises, j'y ai vu évoluer John et Sarah, à différentes phases de leur existence. Je peux même te dire ce que Sarah pensait, sentait, désirait... Et je suis certaine qu'en ce qui te concerne, il en est de même pour John.

— Non.

A la manière sèche et définitive que Shane avait

eue de prononcer ce mot, il était clair qu'il était inutile d'insister.

— Tu ne crois tout de même pas, insista-t-elle avec impatience, que j'ai inventé tout cela, que j'ai imaginé ce qui vient de se passer…

— Je crois, répondit Shane d'un air buté, que beaucoup trop de choses compliquées encombrent ton cerveau. Pour ma part, je préfère la réalité — une réalité beaucoup plus simple.

Pour toute réponse, Rebecca se contenta de soupirer. Elle aurait pu lui dire qu'il se trompait complètement, mais cela n'aurait sans doute servi qu'à accentuer sa colère, voire à le rendre plus réticent encore. La patience et la compréhension étaient sans doute les meilleures armes dont elle disposait pour briser la carapace derrière laquelle Shane se protégeait.

— Très bien, dit-elle. Je n'insisterai pas. Mais sache que tu peux si tu le veux m'en parler à tout moment.

— Je n'ai pas besoin de tes talents de thérapeute.

— Certes non…

Sa voix trop posée, bien trop raisonnable pour être spontanée, eut sur l'humeur de Shane l'effet d'un chiffon rouge agité sous le mufle d'un taureau. Avec un claquement sec qui fit sursauter Rebecca, il posa sur la table sa cannette de bière et, prenant Rebecca par le bras, il l'entraîna en direction de l'escalier.

— Ce dont j'ai besoin, s'emporta-t-il, c'est de faire l'amour avec toi, et avec toi seulement — tu comprends ça ? C'est toi que je veux — juste toi. Les rêves ne sont que des rêves, les morts ne sont que poussière, et les fantômes appartiennent au folklore et aux mauvais films d'horreur. Alors si tu parviens à mettre en veilleuse cette machine infernale qui te tient lieu de cerveau, je vais t'offrir un peu de *stimulation*…

Entraînée sans ménagement dans son sillage, Rebecca vit qu'ils étaient presque arrivés à la porte de sa chambre et sentit un mélange de peur et d'excitation la gagner.

— Le mot n'était pas des mieux choisis, reconnut-elle piteusement, mais il n'était en aucune manière péjoratif ou insultant…

La laissant s'asseoir au bord du lit, Shane se planta au milieu de la pièce et commença par enlever ses boots et ses chaussettes avec détermination.

— Il y a en toi, poursuivit-il, bien trop de Rebecca différentes à mon goût. J'aime que les choses soient simples.

— Je ne suis pas simple, répondit-elle sans quitter des yeux son strip-tease improvisé. Du moins, pas au sens où tu l'entends.

Après avoir promptement fait passer d'un geste son T-shirt par-dessus sa tête, Shane défit son ceinturon et entreprit de déboutonner son jean.

— Voilà qui est simple ! s'exclama-t-il, lorsqu'il fut tout à fait nu devant elle. Je n'ai pas cessé de penser à toi toute la matinée. Je me suis presque tué à la tâche pour pouvoir au plus vite te rejoindre. Et maintenant je ne désire que toi… C'est simple, basique et sans doute un peu primaire. Mais ça me ressemble…

Rebecca ne prit même pas le temps de réfléchir à ce qu'elle faisait. Comme une femme désirante et désirable, comme la femme aimante et amoureuse qu'elle était, elle se leva d'un bond et courut se jeter dans ses bras.

Chapitre 9

— Cassie est comme la plupart de nos voisines… Elle s'imagine que Shane meurt de faim, expliqua Devin à Rebecca qui était venue l'accueillir sous le porche.

D'un geste un peu gauche, il lui tendit une tourtière enveloppée d'un torchon, d'où s'échappait une alléchante odeur de pommes chaudes et de cannelle.

— Merci…

Du regard, Devin désigna la prairie dans laquelle Shane travaillait depuis l'aube.

— Je suis venu l'aider à rentrer les foins, expliqua-t-il. Il y a urgence maintenant. Vous pouvez vous attendre à voir débarquer le reste de la famille d'ici peu…

Sans quitter Shane des yeux, Rebecca hocha la tête d'un air pensif et demanda :

— Vous vivez ici depuis toujours, n'est-ce pas ?

— En effet.

Un court instant, Rebecca hésita à poser la question qui lui brûlait les lèvres. Des quatre frères, Devin était celui qu'elle connaissait le moins, qui l'impressionnait le plus, sous ses dehors d'ours débonnaire déguisé en shérif. Mais la curiosité et la nécessité de mener à bien la tâche qu'elle s'était fixée, une fois de plus, l'emportèrent sur tout autre considération.

— Vous est-il déjà arrivé de vivre ici des expériences… étranges, reprit-elle prudemment.

Fugitivement, un sourire moqueur passa sur les lèvres de Devin.

— Si vous voulez me demander si cet endroit est hanté, répondit-il, c'est sans la moindre hésitation que je vous réponds oui.

Un peu surprise par son assurance, Rebecca le dévisagea curieusement.

— Vous en parlez de manière tellement naturelle…, s'étonna-t-elle.

— Je suis né dans cette ferme. Depuis que je suis en âge de marcher, je parcours ces champs et ces bois. J'ai eu plus que le temps nécessaire pour m'y habituer, vous ne croyez pas ?

— Ce n'est pas le cas de tout le monde.

Suivant la direction empruntée par le regard de Rebecca, Devin hocha la tête en voyant Shane manœuvrer habilement sur son tracteur.

— Mon frère est parfois un peu borné.

— C'est ce que j'ai cru comprendre.

— Pourtant, reprit Devin avec un sourire affectueux, derrière cette façade se cache une nature sensible et généreuse. Il me casserait le nez s'il savait que je vous ai dit ça… Mais c'est la vérité. Voir une de ses bêtes souffrir — ou devoir en perdre une — le rend malade. Et c'est la même chose avec les émotions très fortes qui ont imprégné ces murs, ces bois, ces champs. Plutôt que d'avoir à en souffrir, il préfère en nier la réalité.

— Et pourtant il vit ici, murmura-t-elle rêveusement.

— Parce qu'il ne peut pas faire autrement. Pouvez-vous l'imaginer vivant ailleurs ?

Délaissant sa contemplation, Rebecca sourit à Devin, puis le fixa d'un air grave.

— Non, reconnut-elle. Il semble faire partie du paysage au même titre que la grange ou le ruisseau... Mais s'il m'y autorisait, je pourrais peut-être l'aider à mieux vivre ici avec les bribes de passé qui s'y attardent.

— Peut-être...

Préférant s'abstenir de tout autre commentaire, Devin la vit avec inquiétude diriger une fois de plus son regard vers la prairie. Il était habitué à voir des jeunes femmes tomber sous le charme de Shane et s'éloigner ensuite sans trop de dommages pour elles. Pourtant, il suffisait d'un regard pour comprendre que pour Rebecca il pourrait difficilement en être de même.

— Je ferais mieux d'aller lui donner un coup de main, conclut-il avec un soupir.

Sans même un regard pour lui, Rebecca acquiesça d'un vague signe de tête. Alors qu'il remontait le chemin pour rejoindre Shane, Devin la vit encore quelques instants s'attarder sous le porche, avant de se décider enfin à rentrer.

Tout en retrouvant dans le sillage du tracteur les rythmes jamais tout à fait oubliés des travaux des champs, Devin tenta de relativiser le malaise qu'avait suscité en lui sa conversation avec Rebecca. Après tout, Shane et elle étaient bien assez grands pour savoir ce qu'ils faisaient, et leur vie privée ne le regardait en rien.

Pourtant, lorsque son frère fit taire son moteur pour descendre du tracteur et venir à sa rencontre, sa mauvaise humeur ne l'avait pas vraiment quitté.

— Rafe et Jared ne sont pas encore là ? s'étonna Shane.

— Ils doivent être en chemin, bougonna Devin.

— Ils feraient bien de se presser, reprit Shane en consultant le ciel d'un œil inquiet. Il va pleuvoir. Nous aurons de la chance s'il nous reste deux heures pour tout rentrer.

Imperceptiblement, son regard glissa en direction de la maison où il s'attarda longuement. Devin jura entre ses dents et sortit un bandana de sa poche pour s'éponger le front.

— Bon sang, Shane ! Tu couches avec elle, n'est-ce pas ?

— Ça te regarde ?

— Tu perds la tête ! Il n'y a pas suffisamment de femmes dans les environs ? Pourquoi t'en prendre en plus à l'amie de Regan ? Ce n'est même pas ton genre…

Tant bien que mal, Shane se retenait pour ne pas exploser.

— Ah oui ? Et pourquoi est-ce que ce n'est pas mon genre ?

— Tu sais parfaitement ce que je veux dire. Rebecca est une jeune femme sérieuse. Si elle n'est pas déjà amoureuse de toi, cela ne saurait tarder. Peux-tu me dire ce que tu comptes faire, dans ce cas ?

Shane ne répondit pas tout de suite… Il avait toujours su garder le sens des responsabilités et éviter que ses conquêtes ne tombent sérieusement amoureuses de lui. Avec Rebecca, les choses étaient différentes. Et il n'avait pas besoin de la mise en garde de son frère pour savoir qu'il avait manqué de la plus élémentaire prudence.

— C'est mon problème ! dit-il enfin en serrant les poings. Mon problème et celui de Rebecca.

Et pour bien montrer que la discussion était close,

il grimpa d'un bond sur l'engin et relança le moteur. Il n'avait pas l'intention de discuter de cela avec Devin, et encore moins de s'en préoccuper pour l'instant. Il avait pour habitude de ne pas tout mélanger et de résoudre les problèmes qui se posaient à lui l'un après l'autre. L'urgence, pour l'heure, était de mettre la récolte de foin à l'abri. Il s'inquiéterait plus tard de ses démêlés sentimentaux avec Rebecca.

Quelques minutes plus tard, Jared et Rafe les rejoignirent enfin, et Shane poussa un soupir de soulagement. Ses frères ne seraient pas de trop pour charger les bottes de foin sur la remorque et mettre le chargement à l'abri avant la pluie. En outre, ils seraient les uns et les autres bien trop occupés par leur tâche pour songer à le cuisiner sur ses rapports avec Rebecca.

Lorsqu'il apparut clairement que le travail pourrait être effectué dans les temps, l'humeur de Shane s'adoucit considérablement. Et quand il vit les enfants jouer dans la cour, les chiens courir joyeusement autour d'eux en aboyant, les femmes entrer et sortir de la maison, les bras chargés de paniers et de bébés, le sourire revint sur ses lèvres.

Plus que tout, Shane adorait ces instants de mobilisation familiale. Les voix de ses frères mêlées au ronronnement régulier du tracteur formaient une musique douce à ses oreilles. Même les nuages menaçants qui s'accumulaient de minute en minute au-dessus de leurs têtes le rendaient heureux. La forte pluie qu'ils annonçaient permettrait au blé d'hiver qu'il avait semé la veille de prendre un bon départ.

Tout en manœuvrant pour garer la remorque face à la porte de la grange, Shane songea avec un sourire que dans la cuisine quelqu'un devait déjà s'être attelé aux fourneaux pour préparer un de ces copieux repas sans lesquels leurs réunions de famille n'étaient rien. Il ne fallait pas s'attendre à ce que ce fût Rebecca... Tout en devisant avec les femmes de ses frères, sans doute devait-elle jouer avec les bébés installés sur leurs tapis d'éveil. Et quand il pénétrerait dans la pièce, fourbu et couvert de poussière de foin, elle lèverait vers lui ses beaux yeux dorés et sourirait, de ce sourire qui n'appartenait qu'à elle et qui déjà l'obsédait...

La moitié du chargement avait été rentrée dans la grange lorsqu'ils se décidèrent, en sueur et à bout de souffle, à faire une courte pause.

— Alors ? demanda Rafe, après avoir étanché sa soif à la bouteille d'eau qui passait de main en main. Comment progresse la chasse aux fantômes ? Je n'ai pas eu l'occasion de voir Rebecca dernièrement...

— Elle bat son plein, répondit Shane sans s'avancer. Rebecca a l'air de prendre ces choses plutôt à cœur, pour un hobby...

— Mon petit doigt me dit que cela ne doit pas particulièrement te faire plaisir, reprit Rafe avec un sourire ironique. Tu n'aurais pas entendu quelque bruit de chaîne, dernièrement ?

— Cause toujours...

Quelques gouttes de pluie commencèrent à tomber lourdement sur le sol autour d'eux. Jared, voyant se profiler une dispute alors qu'il leur restait encore une demi-charrette de foin à rentrer, crut bon d'intervenir pour tenter de désamorcer la crise.

— Et à part ça ,demanda-t-il en toute innocence, ça ne t'embête pas trop d'avoir une femme à demeure dans cette maison ? Depuis la mort de m'man, ça n'était plus jamais arrivé.

— Pas du tout, répondit Shane avec un grand sourire. C'est même plutôt agréable.

A ces mots, le visage de Rafe se rembrunit.

— Il a fallu que tu la mettes dans ton lit ! s'exclama-t-il. Tu n'as pas pu t'en empêcher...

— Mais qu'est-ce que j'ai fait de mal ? s'impatienta Shane en pivotant sur lui-même.

De rage et de dégoût, Rafe laissa lourdement retomber sur le sol la botte de foin qu'il venait de charger sur sa fourche.

— Tu n'aurais pas pu t'abstenir pour une fois ? Regan te faisait confiance ! Elle se sent responsable de Rebecca...

La culpabilité que suscitèrent en lui ces accusations ne fit qu'exacerber la colère de Shane.

— Pourquoi diable tout le monde se sent-il responsable d'elle ? Elle est bien assez grande pour prendre soin d'elle-même.

Venue des hauteurs de la grange où il emmagasinait les bottes de foin, la voix de Devin leur parvint.

— Qu'est-ce que vous fabriquez ? C'est pour aujourd'hui ou pour demain ?

— La ferme ! hurla Shane dans sa direction.

Puis, venant se placer à deux doigts de Rafe :

— Mêle-toi de ce qui te regarde... Tu m'entends ? Mêlez-vous de ce qui vous regarde, tous autant que vous êtes !

— Tout ce qui concerne Regan me concerne ! rétorqua Rafe, un ton plus haut. Qu'est-ce que tu sais de Rebecca et de son passé ? Sais-tu comment elle a été élevée ? Sais-tu qu'elle n'a jamais connu autre chose que les salles de classe et les études ?

Shane accusa le coup. Son passé était un sujet que Rebecca avait toujours soigneusement évité d'aborder avec lui.

— Quelle différence cela fait-il ? marmonna-t-il, mal à l'aise. Elle a un cerveau et elle s'en sert, voilà tout.

— C'est même tout ce qu'on lui a jamais permis d'utiliser, renchérit Rafe.

— Qu'est-ce qui se passe ici ? Vous tenez vraiment à perdre le reste de la cargaison ?

Devin, lassé d'attendre, les avait rejoints et observait la scène avec intérêt.

— Ça concerne Rebecca ? reprit-il en mâchonnant nonchalamment une herbe sèche. Si vous voulez mon avis, nous aurions dû nous douter qu'il n'aurait pu s'empêcher de lui tomber dessus…

— Et si vous voulez le mien, intervint Jared alors que la pluie commençait à tomber, le reste de la cargaison est déjà foutu…

Mais Shane était à présent bien trop excité pour se soucier de la pluie ou des précieuses bottes de foin que par sa faute il allait perdre. Ecumant de rage contre ses frères et contre la terre entière, il se ramassa sur lui-même, les poings serrés.

— Je ne lui suis pas tombé dessus !

— Ah oui ? s'écria Rafe, nez à nez avec lui. Elle avait à peine défait ses bagages que tu essayais déjà de la peloter dans ma propre cuisine… J'aurais mieux fait de te casser le nez tout de suite !

Les yeux de Shane se réduisirent à deux minces fentes dans lesquelles brûlait une flamme inquiétante.

— Essaye un peu, gronda-t-il sourdement.

Puis, d'un regard circulaire, il dévisagea durement chacun de ses frères avant de conclure, d'une voix chargée d'amertume :

— A présent que vous êtes tous casés dans l'existence, avec vos jolies femmes et vos beaux enfants, vous vous figurez peut-être que vous êtes bien placés pour me faire la morale ? Mais c'est *ma* vie ! Et je ne laisserai personne me dicter ce que je dois en faire... Vous savez où vous pouvez les mettre, vos jugements, vos avis, vos bons conseils ?

Devant la fenêtre de la cuisine, à travers laquelle elle observait le travail en cours, Rebecca commençait à s'inquiéter. Tout d'abord, cela n'avait été entre eux qu'une discussion animée — quelque différend, sans doute, concernant le stockage des bottes de foin. Puis, de seconde en seconde, les choses avaient semblé s'envenimer et la discussion ressemblait dorénavant à une dispute en règle.

— On dirait que quelque chose ne va pas, murmura-t-elle.

Savannah, qui passait près d'elle, un bébé calé sur l'épaule, se pencha pour observer la scène.

— On dirait plutôt qu'ils remettent ça, lâcha-t-elle tranquillement.

— Qu'ils remettent quoi ?

Avec un rire insouciant, Savannah se redressa et précisa :

— La bagarre, bien sûr !

Puis, se tournant vers la cuisinière où Regan et Cassie s'activaient autour du repas, elle lança gaiement :

— Venez voir, nos hommes ont l'air décidés à se battre de nouveau !

— Se battre ! répéta Rebecca avec horreur. Mais… Pourquoi ?

Regan marcha jusqu'à la porte et l'ouvrit pour voir de quoi il retournait.

— Pour rien, répondit-elle tranquillement sur le seuil. C'est juste quelque chose qu'ils aiment faire de temps à autre.

Cassie, qui l'avait rejointe, se haussa sur la pointe des pieds pour regarder par-dessus son épaule.

— Penses-tu qu'il soit encore temps de les arrêter ? demanda-t-elle d'un air songeur.

— Peut-être, répondit Regan d'un air dubitatif.

Puis, alors que le premier coup de poing partait, elle sursauta en grimaçant et conclut :

— Non. En fait il est trop tard.

Bouche bée, les yeux écarquillés, Rebecca vit le poing de Shane s'abattre sur le nez de Rafe, avec une violence dont elle ne l'aurait jamais cru capable. L'instant d'après, ils roulaient tous deux sur la terre séchée que la pluie battante avait déjà transformée en boue.

— Mais… mais…, balbutia-t-elle, incapable d'exprimer autrement son désarroi.

Délaissant le champ de bataille, Cassie se dirigea vers le réfrigérateur.

— Voyons s'il reste suffisamment de glace, dit-elle d'un air soucieux. Je crois qu'ils vont en avoir besoin…

— Mais pourquoi Jared et Devin n'interviennent-ils

pas ? parvint enfin à articuler Rebecca. Ils restent là à les regarder sans rien faire…

— Pas pour longtemps, prédit Savannah.

Comme pour lui donner raison, Devin se pencha à cet instant vers les deux combattants étroitement enlacés sur le sol. Si c'était dans l'intention de les séparer, il échoua lamentablement car la seconde d'après il se joignait à son tour à la mêlée.

— C'est parfaitement ridicule ! s'indigna Rebecca en quittant son poste d'observation.

Elle n'avait pas encore atteint la porte que Jared à son tour était entré dans la danse… A présent, il était parfaitement impossible de déterminer qui se battait contre qui, et Rebecca moins que tout autre encore. Tout ce qu'elle distinguait, c'était une mêlée furieuse de jambes, de bras et de poings dressés s'abattant en cadence. Tout ce qu'elle entendait malgré la distance, c'était un concert de grognements, de cris de douleur et quelques jurons dont la verdeur réussit à la faire rougir…

— Aucune d'entre vous trois ne se décidera donc à faire quelque chose ? s'indigna-t-elle sur le pas de la porte. Ce sont vos maris qui se battent comme des chiffonniers…

Toute de douceur, la main de Savannah ne cessait de caresser de haut en bas le dos de Miranda, repue et lovée contre elle.

— Nous pourrions peut-être lancer les paris ? suggéra-t-elle. Je mets cinq dollars sur le dos de mon homme. Par loyauté, c'est le moins que je puisse faire.

— Je suis, dit Regan en hochant gravement la tête. Cassie ?

— D'accord, mais je tiens à signaler que Devin part

avec un handicap. Ally fait ses dents. Il est resté debout la moitié de la nuit.

— Rebecca ? demanda Savannah en se tournant vers elle. Tu mises sur Shane ?

Abasourdie, Rebecca laissa son regard errer longuement sur les trois femmes.

— Puisque vous ne voulez rien faire, lâcha-t-elle finalement en redressant dignement les épaules, c'est moi qui vais m'en charger !

En la regardant s'éloigner d'un pas décidé en direction de la grange, Savannah lança à Regan un regard entendu.

— Elle est cuite, tu ne crois pas ?

Regan hocha la tête d'un air soucieux.

— J'en ai bien peur, en effet. Et cela n'est pas pour me rassurer…

— Je pense qu'elle peut avoir sur Shane un effet bénéfique, intervint Cassie en les rejoignant sur le seuil. Et lui sur elle. Même s'ils ne semblent pour l'instant ni l'un ni l'autre s'en être aperçus…

Bien avant d'avoir atteint le lieu du pugilat, Rebecca était déjà trempée comme une soupe. La sensation désagréable d'avoir les cheveux dégoulinant de pluie dans son cou, les vêtements détrempés collant à sa peau, ajoutait encore à sa mauvaise humeur. Quant au spectacle qui l'attendait aux abords de la grange, il acheva de la mettre en fureur.

Trop heureux de l'aubaine, les chiens avaient fini par se joindre à la fête. Gambadant autour des quatre hommes affalés dans la boue, ils leur décochaient de temps à autre un coup de langue affectueux, avant de se remettre à aboyer joyeusement.

— Arrêtez ça ! cria Rebecca.

Ce qui eut pour conséquence immédiate de calmer les chiens, mais n'eut pas le moindre effet sur les combattants... Pendant que les quatre hommes continuaient à s'envoyer de vigoureux coups de poing, Fred et Ethel s'assirent sagement, la langue pendante, et la considérèrent avec étonnement.

— J'ai dit arrêtez ça ! cria-t-elle un peu plus fort. Tout de suite !

Intrigué, Jared commit l'erreur de relever la tête pour voir de quoi il retournait, ce qui lui valut un coup d'épaule dans le menton, auquel il répliqua aussitôt par un coup de poing dans le ventre le plus proche.

Emportée par une vertueuse indignation, Rebecca se rapprocha pour se poster non loin de la mêlée, les mains sur les hanches. De plus près, il lui était possible d'entendre que les rires se mêlaient à présent aux cris et aux grognements. On dirait quatre jeunes babouins, songea-t-elle. En train de s'amuser à se battre pour éprouver leur force...

Lorsque la situation l'exigeait — elle avait eu l'occasion de le vérifier en donnant des conférences dans de vastes amphis — elle pouvait parler haut et fort. Sans avoir besoin de se forcer tant sa révolte était grande, elle finit par hurler :

— Arrêtez vos bêtises immédiatement ! Il y a dans cette maison des enfants qui vous regardent...

Devin fut le premier à réagir, sans pour autant relâcher l'emprise de ses deux mains boueuses autour du visage de Rafe.

— Quoi ?

Encouragée par ce premier succès, Rebecca hurla de plus belle :

— J'ai dit debout ! Et vite…

Les yeux aussi glacés que la banquise, elle gratifia chacun d'eux d'un regard assassin, avant de pointer vers Devin un doigt accusateur.

— Vous, le shérif ! lança-t-elle. Vous devriez avoir honte… Est-ce ainsi que vous concevez votre mission ? Est-ce ainsi que vous faites régner la loi et l'ordre ?

— Non, m'dame…

Comme un gamin pris en faute, Devin baissa timidement les yeux et s'arrangea comme il put pour s'extraire de la mêlée. Sans attendre, le doigt accusateur de Rebecca pointa vers Jared.

— Vous, poursuivit-elle sur le même ton. L'avocat réputé… Le redresseur de tort… Pouvez-vous me dire à quoi rime cette conduite indigne ?

Avant même qu'elle ait fini sa phrase, Jared s'était déjà redressé et brossait d'une main nerveuse et sans grande efficacité ses vêtements maculés de boue.

— A rien, avoua-t-il d'un air penaud. Elle ne rime à rien…

Satisfaite, Rebecca poursuivit son tour d'horizon.

— Rafe MacKade !

Non sans un certain sentiment de triomphe, Rebecca eut le plaisir de le voir sursauter.

— Homme d'affaires respecté, pilier de la communauté, mari aimant et père attentionné… Regardez dans quel état vous êtes ! Quel exemple croyez-vous donner à vos enfants ?

— Un bien piètre exemple, reconnut Rafe après s'être éclairci la gorge.

Refrénant vaillamment l'envie de rire qui ne le quittait plus, il se redressa, laissant Shane affronter son sort tout seul dans la boue.

— Et toi ! conclut Rebecca, avec tant de mépris que Shane parut s'enfoncer un peu plus dans le sol. J'imaginais que tu valais mieux que ça…

— On croirait… on croirait entendre m'man, balbutia-t-il, provoquant le vigoureux assentiment de ses trois frères.

— Peux-tu me dire, poursuivit Rebecca sans se laisser distraire, ce qui a bien pu te passer par la tête ?

— Hey ! protesta-t-il d'un air outragé. Ce n'est pas moi qui ai commencé…

— Réponse aussi typique que stupide ! répliqua-t-elle sans la moindre pitié. Est-ce ainsi que vous avez l'habitude de régler vos problèmes ?

Sans paraître comprendre où se situait le problème, Shane massa longuement sa mâchoire endolorie.

— Oui, pourquoi ?

— C'est pitoyable ! Vous me faites de la peine tous les quatre…

Comme si ces paroles cinglantes n'y avaient pas suffi, elle leur décocha un regard implacable qui leur fit tous baisser les yeux.

— La violence n'est jamais une réponse, reprit-elle doctement. Il n'y a pas de problème que ne puissent résoudre la raison et la communication. Si vous n'êtes pas capables de contrôler vos pulsions, faites au moins en sorte de vous éviter…

— N'est-elle pas magnifique ? murmura Shane, un

sourire béat accroché à ses lèvres. N'est-ce pas qu'elle est superbe...

Sous les yeux ébahis de ses trois frères, Shane tendit le bras vers Rebecca, trop surprise pour chercher à s'esquiver.

— Ma colombe, reprit-il en posant une main couverte de boue sur son avant-bras. Viens donc me donner un baiser et faisons la paix.

— Bas les pattes ! parvint enfin à protester Rebecca. Si tu crois que tu peux...

Mais il était déjà trop tard. L'instant d'après, happée par ce bras dont elle ne s'était pas suffisamment méfiée, elle s'affalait sur le dos dans la boue, à côté de Shane hilare et déchaîné.

— Tu es la plus belle, s'enflamma-t-il en laissant courir ses mains sur son corps et en dévorant son visage de baisers.

— Espèce de singe ! hurla Rebecca en tentant vainement de se débattre.

Puis, constatant l'impossibilité de se libérer, elle lui assena en désespoir de cause une claque retentissante sur la joue qui le fit se redresser.

— Vous avez vu ! cria-t-il en prenant ses frères à témoin. Elle a usé de violence contre moi... Est-ce ainsi, ma douce, que tu conçois la raison et la communication ?

Sans se soucier des poings qui lui martelaient la poitrine, de la pluie qui ne cessait de se déverser à seaux sur eux, de l'assistance fascinée qui ne perdait pas une miette du spectacle, Shane reprit ses assauts enflammés.

— Que je sois damné, murmura Rafe avec un

sourire radieux. Elle lui a mis le grappin dessus. Qu'en pensez-vous ?

Sans cesser de masser précautionneusement sa lèvre supérieure ensanglantée, Devin hocha la tête.

— J'en pense, répondit-il, que tu as raison. Je n'ai jamais vu notre cher frère regarder une femme avec ces yeux-là... Tu crois qu'il s'en rend compte ?

— Je crois, intervint Jared en écartant les mèches humides qui lui retombaient sur le front, qu'ils n'en ont aucune idée ni l'un ni l'autre.

Manifestement aux anges, Rafe glissa les pouces dans ses poches.

— Cela va être un tel plaisir, conclut-il avec un sourire triomphal. Un tel plaisir de voir Shane MacKade se faire passer la corde au cou...

— Qu'est-ce qu'on fait ? s'interrogea Devin à voix haute. On rentre et on les laisse se débrouiller, ou on lui tombe dessus pour le boxer encore un peu ?

Prudemment, Rafe vérifia l'état de son nez tuméfié. Le premier coup de poing de Shane ne l'avait pas raté, et toute la glace contenue dans le réfrigérateur ne serait sans doute pas de trop pour limiter les dégâts.

— En fait, dit-il, je n'aurais rien contre l'idée de lui donner une bonne leçon, mais Rebecca va encore protester...

— De plus, renchérit Jared, il ne serait pas très chrétien de les laisser sous la pluie. Ils pourraient attraper une pneumonie.

Ils n'eurent pas besoin de se concerter davantage pour converger vers leur frère et s'emparer de lui.

— Laissez-moi ! protesta celui-ci en cherchant à se dégager. Allez retrouver vos femmes... Celle-ci est à moi.

Sans se laisser impressionner, Rafe, Devin et Jared le maintenaient solidement par les bras et les jambes, de telle sorte que Shane en était réduit à plaider sa cause auprès de Rebecca en riant comme un fou.

— Ma douce colombe, lança-t-il tendrement. Tu es dans un tel état ! Allons prendre une douche tous les deux…

Le visage figé, les yeux réduits à deux minces fentes, Rebecca se remit sur ses pieds. Elle se doutait que ses vêtements détrempés épousaient les moindres courbes de son corps mais préférait l'ignorer. De plus, des traces de mains boueuses devaient maculer ses vêtements aux endroits que la pudeur imposait de passer sous silence…

Aussi dignement que possible, elle s'efforça de mettre un peu d'ordre dans sa tenue et ses cheveux et s'approcha de Shane.

— Vous le tenez bien ? demanda-t-elle tranquillement en se tournant vers Rafe.

Reconnaissant l'éclat qu'il voyait luire dans son regard, celui-ci hocha la tête d'un air gourmand. Shane, qui avait lui aussi compris ce qui l'attendait, s'efforça désespérément de l'amadouer.

— Ma colombe, ne fais pas ça… Raison et communication — tu te rappelles ? La violence n'est jamais une réponse. Seigneur ! Tu es si belle que je pourrais te gober toute crue… Pourquoi n'irions-nous pas…

Le coup de poing cueillit Shane au creux de l'estomac, accrochant à son visage une expression de stupeur douloureuse, vidant d'un coup tout l'air de ses poumons. Puis, sans un mot, sans un regard pour lui, Rebecca se retourna sous les yeux de quatre hommes muets d'étonnement et d'admiration. D'un pas très digne, trempée et boueuse mais vengée, elle se dirigea vers la maison.

— N'est-elle pas magnifique ? gémit Shane, luttant pour retrouver son souffle. N'est-ce pas qu'elle est superbe ?

La journée touchait à sa fin. Les travaux du soir étaient achevés. Après le dîner, Jared, Devin et Rafe avaient regagné leur foyer avec leur famille. Au terme d'une journée tellement bruyante et mouvementée, la ferme parut à Shane étrangement vide et silencieuse après leur départ.

Comprenant qu'il lui fallait trouver quelque chose pour rentrer dans les bonnes grâces de Rebecca, il se décida avant de rentrer à cueillir quelques fleurs des champs, sous la pluie, à la lueur d'une lampe torche. Lorsqu'il pénétra dans la cuisine, fourbu et trempé, elle y travaillait comme à son habitude. A peine prit-elle le temps de lever la tête de son ordinateur pour le gratifier d'un de ces regards assassins qu'elle lui avait adressés durant toute la soirée.

Le bouquet caché dans son dos, Shane s'approcha et mit un genou à terre près de sa chaise.

— Tu es toujours fâchée contre moi ?

— Je ne suis pas fâchée, répondit-elle à contrecœur.

En fait, elle se sentait à présent embarrassée et honteuse de sa conduite, ce qui était bien pire encore.

Sans se laisser décourager par la froideur de l'accueil, Shane lui adressa son sourire le plus désarmant.

— Tu veux toujours me frapper ?

— Certainement pas !

— Rebecca…

D'autorité, il prit la main qui s'attardait sur son clavier et la porta à ses lèvres.

— C'était juste un peu de boue, reprit-il d'une voix enjôleuse.

Si elle l'avait pu, Rebecca aurait retiré sa main, mais Shane semblait fermement décidé à ne pas la lâcher.

— J'essayais de travailler, lâcha-t-elle en désespoir de cause.

D'un geste de prestidigitateur, Shane fit apparaître sous ses yeux la poignée de fleurs des champs.

— Et moi, répondit-il en les tendant vers elle, j'essayais d'oublier à quel point je suis fou de toi.

Immédiatement conquise, Rebecca poussa un soupir et consentit à lui sourire, pour la première fois depuis le début d'après-midi.

— En effet, dit-elle sévèrement, il faut être bien fou pour sortir en pleine nuit cueillir des fleurs sous la pluie…

— Avec ma mère, expliqua Shane, cela marchait toujours… Tu m'as fait penser à elle, aujourd'hui. Mis à part qu'elle nous aurait tiré par l'oreille et botté les fesses avant de nous sermonner.

Incapable de résister à la tentation, Rebecca se saisit des fleurs et les porta à son visage pour s'imprégner de leur odeur.

— Ta mère me semble avoir été une femme hors du commun…

— Elle était la meilleure, répondit Shane sans hésiter. Elle et mon père ont toujours été là pour nous. Quoi que nous fassions, mes frères et moi, il y avait toujours quelqu'un à la maison pour nous botter les fesses ou nous tendre la main — cela dépendait — mais en tout cas quelqu'un qui nous aimait, quelqu'un sur qui compter.

Après s'être redressé, Shane caressa tendrement la joue de Rebecca.

— Voilà pourquoi, poursuivit-il, je trouve tellement injuste qu'on puisse souffrir de solitude.

Mal à l'aise, Rebecca haussa les épaules et se leva à son tour, faisant racler bruyamment sa chaise sur le carrelage.

— Je ferais mieux de mettre ces fleurs dans l'eau, dit-elle d'une voix neutre.

Songeur, Shane la regarda se diriger vers l'évier. Il savait qu'à moins qu'il ne l'y pousse, jamais elle ne lui parlerait de sa jeunesse, de sa famille, de son passé.

— Rebecca…

— Pourquoi vous battiez-vous, tes frères et toi ?

Conscient que sa curiosité soudaine avait tout d'une manœuvre de diversion, Shane haussa les épaules à son tour.

— Pour rien, répondit-il vaguement.

Puis, comprenant qu'il ne pouvait lui demander de se livrer sans se livrer lui-même, il précisa :

— En fait, c'était à cause de toi.

Stupéfaite, Rebecca abandonna les fleurs dans l'évier et lui fit face.

— A cause de moi ? Tu plaisantes ?

— Pas du tout. Rafe a dû dire quelque chose pour me faire enrager, comme il le fait toujours, et c'est ce qui a mis le feu aux poudres.

Voyant qu'elle était toujours à la recherche d'un vase, Shane traversa la pièce pour dénicher une bouteille ancienne dans un placard et la lui tendit avant de poursuivre :

— Si tu veux tout savoir, mes frères sont persuadés que je profite de ta présence ici pour abuser de toi.

— Je vois…

Le visage fermé, Rebecca remplit d'eau la bouteille et entreprit d'y arranger soigneusement les fleurs.

— Tu leur as dit que nous étions… intimes, reprit-elle.

Dans sa bouche, cela sonnait bien plus comme une accusation que comme une question. Shane comprit alors ce qu'elle avait en tête — conversations de vestiaires, plaisanteries grasses, fanfaronnades et roulements d'épaules…

— Pour qui me prends-tu ? protesta-t-il, sincèrement choqué. Bien sûr que non je ne leur ai rien dit.

Il l'aurait fait, sans doute, s'il s'était agi de tout autre femme qu'elle…

Plus pour se donner une contenance que par réelle envie, Shane traversa la pièce et se servit un café. Il n'était pas du genre à fanfaronner au sujet de ses conquêtes féminines, mais il lui arrivait en présence de ses frères de se laisser aller à quelque commentaire. Tout comme il leur arrivait de le taquiner à ce sujet sans pour autant provoquer la réaction épidermique qu'il avait eue.

— En fait, reprit-il d'une voix songeuse, c'est eux qui ont deviné ce qui se passait entre nous.

Plus soulagée qu'elle n'aurait voulu se l'avouer, Rebecca poussa un soupir et alla déposer le vase de fleurs près de son poste de travail.

— Personne, dit-elle, ne s'est jamais battu pour moi. Je suppose que je devrais me sentir flattée…

— J'éprouve des sentiments profonds pour toi.

L'aveu était sorti de lui-même, comme jailli de nulle part. Aussi surpris qu'elle pouvait l'être elle-même, Shane porta la timbale de café à ses lèvres pour en vider d'un coup le contenu.

— C'est pourquoi, conclut-il d'une voix plus ferme, je ne supporte pas qu'on puisse penser que je t'ai forcée à quoi que ce soit.

Rebecca fit son possible pour ne rien laisser paraître de la joie que ces confidences lui procuraient.

— L'essentiel, dit-elle d'une voix parfaitement contrôlée, est que nous sachions tous deux que cela est faux.

Sur le visage de Shane passa fugitivement une grimace amère.

— Cela l'est-il vraiment ? On ne peut pas dire que tu m'aies sauté au cou… C'est plutôt moi qui n'ai pas cessé de te harceler, de te poursuivre de mes assiduités.

— Serais-tu en train de t'en vanter, joli cœur ?

— Pas vraiment. Je…

Incapable de poursuivre, Shane prit le temps d'observer Rebecca, d'étudier son beau visage et de chercher à lire au fond de ses yeux. Dans son regard, il découvrit de l'amusement, de la compréhension, et quelque chose d'autre, d'assez indéfinissable, mais qui n'était pas fait pour le rassurer.

— Ce que j'essaie de te dire, reprit-il, c'est que je comprendrais que tu puisses avoir envie de faire un pas en arrière pour prendre le temps de reconsidérer notre relation.

Vaillamment, Rebecca s'efforça d'avaler la boule d'angoisse qui s'était brusquement formée au fond de sa gorge. La peur aurait pu faire trembler sa voix, et elle tenait à paraître maîtresse d'elle-même pour poser la question qui lui brûlait les lèvres.

— Est-ce véritablement ce que tu veux ?

Shane ne prit même pas le temps de la réflexion.

— Non, répondit-il sur un ton catégorique. Tout ce que je veux, c'est toi. Il me suffit de poser les yeux sur toi pour en avoir aussitôt l'eau à la bouche et le cœur qui chavire.

De nouveau, Rebecca sentit le bonheur vibrer en elle et irradier chaque parcelle de son être. Un bonheur tout simple, fragile parce que fugace, dangereux parce que fragile — et pour cette raison même, un bonheur à l'attrait irrésistible…

D'un pas chaloupé, le sourire aux lèvres, elle traversa la pièce pour nouer ses deux bras autour du cou de Shane.

— Dans ce cas, dit-elle, pourquoi se contenter du seul plaisir des yeux ?

Chapitre 10

Depuis une bonne minute, Rebecca, assise devant son ordinateur, cherchait vainement une phrase. Elle leva les yeux de son écran et laissa son regard errer au loin par la fenêtre. Aussitôt, toute autre considération que la beauté du paysage à cette heure du jour déserta son esprit. Il était presque l'heure de la traite du soir, et les ombres s'allongeaient sur le sol. Songeant à quel point les travaux de la ferme constituaient à présent de nouveaux repères pour la citadine qu'elle était, elle éclata de rire et se remit à l'ouvrage.

Elle relut le paragraphe qu'elle était en train d'écrire et se demanda comment elle avait pu passer la plus grande partie de son existence à rédiger d'ennuyeuses études scientifiques. Se laisser aller au flot libérateur de sa sensibilité et de son imagination lui était tellement facile et agréable que c'était en train de devenir chez elle comme une seconde nature. A tel point que l'envie d'écrire un roman commençait même à la titiller… Amusée à l'idée que beaucoup de ses ex-collègues décréteraient sans doute qu'elle n'avait pas fait autre chose avec ce livre sur les fantômes d'Antietam, Rebecca remisa l'idée dans un coin de son esprit et laissa ses doigts courir sur le clavier.

Elle avait à peine aligné trois phrases que le téléphone

se mit à sonner. Avec un claquement de langue agacé, elle se leva pour décrocher et en profita pour se servir une tasse de café.

— Allô !

Rebecca se rendit compte trop tard qu'un peu de son agacement avait percé dans le ton de sa voix.

— Je voudrais parler au Dr Rebecca Knight, je vous prie.

Sous le coup de la surprise, Rebecca faillit renverser son café. Il n'y avait pourtant aucune raison d'être étonnée ou triste parce que sa voix n'avait pas été reconnue par son interlocutrice.

— C'est moi, répondit-elle d'une voix soigneusement maîtrisée. Bonjour, maman.

A l'autre bout du fil, la voix autoritaire d'Helen Knight embraya aussitôt :

— Rebecca ! Il m'a fallu remuer ciel et terre pour retrouver ta trace… Je te croyais à New York.

— Eh bien, comme tu le constates, je n'y suis pas.

Au bruit de la porte qui s'ouvrait derrière elle, Rebecca se retourna brièvement pour adresser à Shane un petit sourire de bienvenue.

— Je suis dans le Maryland pour quelque temps, reprit-elle.

— Ah bon ? s'étonna la voix familière et redoutée dans l'écouteur. Une tournée de conférences ? Je n'étais pas au courant.

— En fait, reconnut Rebecca sans pouvoir empêcher sa voix de trembler un peu, il ne s'agit pas de cela. J'effectue actuellement… des recherches.

— Dans le Maryland ? Sur quel sujet ?

— La bataille d'Antietam.

— Ah ? C'est pourtant un domaine qui a déjà été amplement traité, ne penses-tu pas ?

— Je l'aborde sous un nouvel angle.

En silence, Rebecca se poussa pour permettre à Shane l'accès à la cafetière, mais elle se garda bien de répondre à son regard intrigué.

— Maman, reprit-elle, déjà à bout de patience. Si tu me disais ce que je peux faire pour toi ?

— A vrai dire, répliqua sa mère d'un air pincé, il s'agit plutôt de ce que moi je peux faire pour toi. Où diable te terres-tu, Rebecca ? C'est très incorrect de ne pas avoir fait suivre tes appels. J'ai besoin de ton numéro de fax.

— Impossible.

Pour éviter d'avoir à soutenir les regards de plus en plus insistants de Shane, Rebecca lui tourna le dos.

— J'habite chez un ami qui ne possède pas ce genre d'équipements, expliqua-t-elle.

— Si tu le veux vraiment, s'obstina la voix coupante et froide contre son oreille, tu dois pouvoir en trouver un quelque part. Nous ne sommes plus au Moyen Age, tout de même !

Peu enclin à se laisser ignorer, Shane l'avait contournée pour venir de nouveau se planter devant elle, tout sourire et décidé à faire le pitre. Il avait passé la majeure partie de la journée à labourer un champ, et sentait bon la terre fraîche et le soleil. Amusée malgré elle par ses mimiques, Rebecca lui rendit son sourire, avant de se concentrer de nouveau sur l'appel de sa mère.

— Je vais voir ce que je peux faire, promit-elle. Je peux te joindre dans le Connecticut ?

— Ton père y est. Moi j'assiste à un séminaire à Atlanta. Tu peux me joindre au Carlton.

— Très bien. Puis-je te demander de quoi il s'agit ?

— D'une opportunité extraordinaire pour toi !

Pour la première fois depuis le début de leur conversation, Rebecca sentit passer un soupçon d'enthousiasme et de chaleur dans la voix de sa mère.

— A la fin de ce semestre, expliqua-t-elle, le chef du département d'histoire de mon université part à la retraite. Avec tes références et grâce à mes relations, tu ne devrais avoir aucune difficulté à obtenir le poste, ce qui serait une grande première, étant donné ton âge. Je crois que tu serais la première à accéder à de telles responsabilités, à vingt-quatre ans seulement…

— Maman… J'ai eu vingt-cinq ans en mars dernier.

— Peu importe ! Ce serait quand même une grande première…

— Je n'en doute pas un seul instant, mais je préfère te dire tout de suite que je n'ai aucune envie de postuler.

— Ne sois pas ridicule, Rebecca !

Rebecca dut fermer les yeux et pincer les lèvres pour ne pas se mettre à hurler. Cette voix, cassante et sèche, ce ton, méprisant et définitif, l'avaient accompagnée tout au long du chemin qu'on lui avait imposé de suivre depuis sa plus tendre enfance. Il lui fallut respirer profondément et se planter solidement sur le sol pour pouvoir ouvrir de nouveau les yeux et répondre, d'une voix sarcastique qui l'étonna elle-même.

— Ridicule ? J'ai bien peur de devoir le rester désormais. Je n'ai aucune envie de passer le reste de ma vie à enseigner.

Helen Knight eut une exclamation agacée.

— Enseigner n'est qu'une obligation mineure, Rebecca ! Et tu le sais fort bien. Ce poste honorifique te permettrait de…

— Maman ! l'interrompit-elle sèchement. Je n'ai jamais couru après les honneurs et n'ai aucune envie de commencer maintenant.

Un silence stupéfait salua cette réplique. Comprenant qu'il était temps pour elle de mettre un terme à cette conversation, Rebecca s'empressa de tirer parti de son avantage.

— Quoi qu'il en soit, conclut-elle, je te remercie d'avoir pensé à moi. Je suis sûre qu'il ne manque pas dans ton entourage de brillants sujets que ce poste comblerait de joie.

— Je suis étonnée par ton attitude, Rebecca. Tu dois utiliser tes qualités et profiter des opportunités que ton père et moi continuons à t'offrir. Un avancement de cette nature suffirait à asseoir définitivement ta carrière et…

— Quelle carrière ?

Dans l'écouteur retentit un long soupir.

— Manifestement, conclut Helen Knight d'une voix excédée, tu n'es pas d'humeur à te montrer raisonnable et encore moins reconnaissante. Je compte néanmoins sur ton intelligence et sur ton sens des responsabilités. Ressaisis-toi et fais-moi connaître ton numéro de fax dès que possible. Au revoir.

— Au revoir, maman.

Après avoir raccroché, Rebecca s'efforça de sourire à Shane comme si de rien n'était.

— Les vaches sont parties se coucher ? demanda-t-elle avec une gaieté forcée.

— Assieds-toi, Rebecca.

— Je suis affamée… Veux-tu que je nous prépare quelque chose ?

Craignant de s'effondrer dans ses bras s'il la touchait, Rebecca s'empressa de gagner le réfrigérateur.

— Il doit rester un morceau du gâteau au chocolat qu'une de tes conquêtes t'a apporté récemment.

— Rebecca… Assieds-toi, je t'en prie.

En dépit de l'inquiétude qu'il ressentait à la voir réagir ainsi, Shane avait parlé de la voix patiente et posée qu'il aurait adoptée pour calmer une petite fille.

— Je vais faire du café frais, suggéra-t-elle. Figure-toi que je suis arrivée à dompter la cafetière.

Mais avant qu'elle ait pu mettre son projet à exécution, Shane l'avait rejointe et lui barrait le chemin.

— Qu'est-ce qu'il y a ? demanda-t-elle d'un ton glacial.

Sans répondre, Shane posa doucement ses mains sur les épaules de Rebecca et sentit son corps se tendre comme une corde prête à se rompre. Songeant qu'il allait devoir faire preuve de la plus extrême prudence pour ne pas déclencher la crise qu'il sentait couver, il demanda avec un sourire rassurant :

— Ainsi, tu es originaire du Connecticut ?

Rebecca sembla hésiter un instant, puis haussa les épaules pour se débarrasser de ses mains.

— Mes parents vivent là, répondit-elle de manière évasive.

— Est-ce là que tu as grandi ?

— Pas vraiment. J'y vivais lorsque je n'étais pas à l'école. Tu ne devrais pas boire cela, ajouta-t-elle en désignant la cafetière du menton. Voilà des heures qu'il réchauffe. Laisse-moi t'en préparer du frais…

— Rebecca, soupira Shane en secouant la tête avec

un sourire navré. Qu'a bien pu te dire ta mère pour te mettre dans un tel état ?

— Rien. Rien du tout.

Mais Shane ne semblait pas décidé à la laisser s'en tirer à si bon compte. Pour avoir la paix, pour échapper à ce regard inquiet plein de sollicitude qui ne la quittait plus, elle ajouta, d'une voix monocorde :

— Elle voudrait me voir postuler à un poste prestigieux qui ne m'intéresse pas. Simple divergence de points de vue, mais elle est tellement peu habituée à ce que j'aie une opinion personnelle qu'elle a du mal à se le tenir pour dit.

Shane la regarda avec perplexité. Cela paraissait on ne peut plus simple, en effet. Mais si cela l'était réellement, pourquoi dans ce cas Rebecca réagissait-elle ainsi à ce banal conflit ?

— L'essentiel, dit-il, c'est que tu aies su lui dire non.

Un sourire désabusé au coin des lèvres, elle secoua longuement la tête et détourna les yeux.

— On voit que tu ne la connais pas. Les rares fois où j'ai eu l'audace de lui tenir tête, cela n'a pas servi à grand-chose. Je ne serais pas autrement surprise que mon père me rappelle d'un instant à l'autre, pour m'exhorter à assumer mes responsabilités et à faire face à mes obligations.

— Tes obligations ? s'étonna Shane. Envers qui ?

— Envers eux. Envers l'éducation qu'ils m'ont si généreusement prodiguée. Envers la postérité — que sais-je encore ? A leurs yeux, il est de mon devoir de mener aussi loin que possible la carrière qui s'ouvre à moi. Tout cela est tellement affligeant, tellement banal ! N'en parlons plus.

Parce qu'elle semblait avoir réellement besoin de bouger et de s'occuper les mains, Shane libéra le passage et la regarda mesurer le café, la main sûre mais le visage pâle et les traits tirés. Soudain, d'un geste brusque, elle laissa tout tomber et s'appuya contre le plan de travail où ses mains s'agrippèrent désespérément.

— Je n'arrive pas à y croire, gémit-elle. Je ne peux pas croire que j'en sois encore à subir cela. Un ulcère ne m'a donc pas suffi ?

— Rebecca, s'inquiéta Shane en faisant un pas vers elle. Pour l'amour du ciel, de quoi parles-tu ?

Les yeux dans le vague, comme perdus dans un lointain passé, Rebecca énuméra, d'une voix lasse et monotone :

— Ulcères, migraines, insomnies, dépression... Tous ces maux que le corps s'inflige quand l'esprit étouffe et ne peut s'évader. Au fond, c'est grâce à eux que je me suis mise à l'étude de la psychiatrie...

Comprenant que ce n'était plus à lui qu'elle s'adressait, Shane se garda bien de répondre.

— Le refoulement, poursuivit-elle sur le même ton, n'est jamais la bonne réponse... Je le sais pourtant ! Mais il est vrai qu'il est plus facile d'analyser les autres que de se pencher sur ses propres travers.

D'une main nerveuse, elle coiffa ses cheveux et se mit à déambuler dans la pièce, boule de nerfs prête à exploser.

— Mais cette fois, décréta-t-elle sur un ton combatif, il est hors de question que je me laisse faire. Il est hors de question que je les laisse me harceler jusqu'à obtenir ma capitulation. Qu'ils aillent au diable ! Tout ce qu'ils ont réussi à faire de moi, c'est une pauvre folle, misérable et névrosée…

Pour faire face à Shane, Rebecca tourna vivement sur elle-même. A présent, elle n'était plus pâle mais livide. Et dans son visage exsangue, ses yeux brillaient d'un éclat maladif.

— Sais-tu ce que c'est, reprit-elle avec véhémence, pour une petite fille de quatre ans, que de devoir lire Dante dans le texte afin de pouvoir en faire l'analyse historique et littéraire ? Sais-tu ce que c'est, pour une fillette de dix ans qui n'a jamais joué, que de discuter physique quantique à la table familiale et d'être mise en demeure d'apporter son point de vue dans une controverse sur la Renaissance — en français, naturellement…

— Non, avoua Shane, aussi tranquillement qu'il le put. Pourquoi ne me l'expliquerais-tu pas ?

— C'est horrible ! Horrible d'avoir des parents qui te considèrent comme une *chose*, un cocktail réussi de gènes des plus brillants… Je sentais confusément que ce n'était pas normal, mais à part obéir, qu'aurais-je pu faire d'autre à cet âge ? Bon gré mal gré, je me suis conformée à ce que l'on attendait de moi. C'est très vite devenu une habitude. A tel point qu'à l'âge où j'aurais pu me révolter et choisir ma propre voie, l'idée ne m'en est même pas venue…

Postée devant la fenêtre, les yeux perdus dans le paysage éclairé par les derniers rayons du soleil couchant, Rebecca semblait s'être calmée.

— Et un jour, conclut-elle dans un murmure, on se regarde dans un miroir, et ce qu'on y découvre, c'est une pauvre chose tellement pitoyable que sa simple vue offense les yeux. Alors on ne peut que se demander à quoi tout cela rime, et s'il ne vaudrait pas mieux en finir…

La colère qui depuis quelques minutes bouillonnait en Shane éclata soudain :

— Rebecca !

D'un geste impatient de la main, elle le fit taire et poursuivit sans attendre :

— D'abord, on ne fait qu'y rêver. Mais bientôt la curiosité est la plus forte, et l'on se met à chercher le moyen le plus sûr, le plus efficace, le moins douloureux, pour parvenir à ses fins.

Trop abasourdi pour parler encore, Shane la dévisageait avec des yeux emplis de compassion. Par ce qu'elle venait de lui révéler, Rebecca l'avait secoué jusqu'à l'os, glacé jusqu'à la moelle. Cette femme, cette merveilleuse, magnifique et si précieuse jeune femme, avait un jour envisagé de se suicider…

D'un air absent, Rebecca se massait les tempes, dans l'espoir d'apaiser la migraine qui lui vrillait le cerveau. Pourtant, elle le savait, elle n'avait pas d'autre choix que de poursuivre et d'achever sa douloureuse et salutaire confession.

— Mais en fait, reprit-elle, j'étais bien trop intelligente, trop bien programmée, pour supporter un tel gâchis. J'ai pris peur en comprenant que je pouvais sérieusement envisager de mettre fin à mes jours. Alors, je me suis décidée plutôt à me pencher sur la psychologie et le comportement humain pour en percer les mystères. Un moyen bien plus productif de résoudre la crise, n'est-ce pas ?

— Quel âge avais-tu ? demanda Shane après avoir

pris une longue inspiration. Je veux dire à l'époque où tu as pensé à…

— Me suicider ? compléta-t-elle calmement. J'avais douze ans. Un âge plein de périls, et de doutes, où le corps change et où l'on ne sait que faire de cet autre que l'on est en train de devenir… Je m'en suis sortie en me rappelant que ma vie, aussi misérable fût-elle, était le seul bien qui m'appartenait en propre. Alors, avec cette conscience nouvelle de ma condition et cette volonté de me comprendre moi-même, j'ai continué à me barricader derrière les livres, les théories et les diplômes. Jusqu'à ce que je finisse par réaliser qu'il ne s'agissait que d'une autre forme de suicide…

Soulagée d'être parvenue à conclure sans s'effondrer, Rebecca couvrit son visage de ses deux mains.

— Je suis fatiguée, confia-t-elle d'une voix tremblante, les épaules secouées de frissons.

Dans l'esprit survolté de Shane, des mots terribles planaient sans relâche, tels des oiseaux de malheur. *Ulcère… Dépression… Suicide…* Qu'avaient-ils donc osé faire à la petite fille qu'elle avait été ? Il aurait voulu pouvoir demander des comptes à ceux qui l'avaient retranchée de la vie pour en faire l'instrument de leur ambition. Désespérément, il aurait souhaité pouvoir revenir en arrière, pour consoler la jeune fille désespérée et lui apporter la tendresse et l'attention dont elle avait besoin, qu'elle méritait.

Mais tout ce qu'il lui était possible de faire, à présent, c'était d'être attentif à la femme qu'elle était devenue, pour tenter si possible d'adoucir sa peine.

— Rebecca…

Mû par un élan irrésistible, Shane la rejoignit au

centre de la pièce et lui fit un abri de ses bras. Ce dont elle avait le plus besoin à cet instant, il en était persuadé, c'était de tendresse, de calme, de douceur, même si la tempête continuait à faire rage en lui.

— Laisse-toi aller, conseilla-t-il en lui caressant les cheveux. Repose-toi sur moi un instant.

— Je vais bien, tenta-t-elle de protester.

— Non, répondit-il fermement, sans relâcher son étreinte. Tu ne vas pas bien, mais cela viendra.

Et il était fermement décidé à y veiller…

— Allez, insista-t-il dans un souffle. Accroche-toi à moi. N'aie pas peur…

Et, à sa grande surprise, c'est ce que Rebecca parvint finalement à faire, puisant dans ce contact un réconfort qu'elle n'avait jamais connu.

— Si l'on y réfléchit, reprit-elle en fermant les yeux, ma mère n'a rien fait d'autre aujourd'hui que ce qu'elle a toujours fait. Nous ne nous sommes pas vues depuis plus d'un an. Pour elle, je suis toujours la Rebecca obsédée par les études, soumise, docile, obéissante, qu'elle a toujours connue. Je doute qu'elle ou mon père puisse me reconnaître si nous nous croisions par hasard dans la rue.

Shane frotta amoureusement sa joue contre les cheveux de Rebecca. Elle était si fragile, si tendrement et si douloureusement fragile… Pourquoi ne s'en était-il pas rendu compte plus tôt ?

— Peu importe ce qu'ils pensent, répondit-il. Seul compte ce que toi tu désires.

— Hélas, poursuivit Rebecca avec un rire grinçant. On ne peut pas toujours avoir ce que l'on veut… Autrefois, j'aurais tant voulu qu'ils m'aiment. S'ils m'avaient aimée — ne serait-ce qu'un peu — j'aurais pu faire n'importe quoi pour eux. Je me rappelle la première fois qu'ils m'ont envoyée en pension dans une école réputée. J'étais tellement malheureuse, tellement seule et effrayée… Ils m'avaient fait prendre l'avion en me confiant à la garde d'une hôtesse, sans même m'accompagner. J'avais six ans.

— Pauvre Rebecca, compatit Shane en redoublant ses caresses. Je suis si triste pour toi.

— Tout ce qu'ils ont su voir en moi, conclut-elle, c'est le cerveau d'adulte dont la nature m'avait dotée, en négligeant le cœur d'enfant dont elle m'avait également pourvue… Heureusement, je crois que je ne m'en suis quand même pas trop mal sortie.

— Tu t'en es même très bien tirée !

— Merci…

Quelque peu rassérénée, Rebecca se redressa contre la poitrine de Shane et lui sourit.

— Cela va mieux, dit-elle. Je suis désolée… Si tu étais arrivé une heure plus tard, j'aurais eu le temps de surmonter le choc. Tu es rentré au mauvais moment.

— Au contraire ! protesta Shane. Je ne pouvais pas mieux tomber !

Très doucement, avec une infinie délicatesse, il pencha la tête pour lui effleurer la bouche du bout des lèvres.

— Je veux, reprit-il, que tu puisses me confier tout ce qui te touche. J'ai l'impression de commencer seulement à te connaître… Toutes ces facettes de ta personnalité qui semblaient ne pas avoir de cohérence s'assemblent d'un coup, comme un puzzle. Fais-moi une faveur…

— Laquelle ?

— Ne rappelle pas ta mère.

L'autorité de son ton la fit sourire.

— C'est plutôt… radical.

— Oui, et alors ?

— Alors, elle ne va pas se décourager pour si peu. Elle reviendra à la charge. Ou c'est mon père qui le fera.

Comme pour prouver ses dires, à peine avait-elle prononcé ces mots que la sonnerie du téléphone retentit dans la pièce.

— Tu vois ?

Instinctivement, Shane resserra autour d'elle l'étau de ses bras pour empêcher Rebecca de céder à l'impulsion qui la poussait à décrocher. Rien ni personne ne parviendrait à la replonger dans une telle détresse tant qu'il serait là pour prendre soin d'elle et la protéger.

— Je n'entends rien, affirma-t-il sur un ton dégagé. Tu entends quelque chose, toi ?

— Le téléphone…

— Quel téléphone ?

Ne songeant qu'à lui donner un peu de paix et de réconfort, Shane l'embrassa de nouveau, un peu plus longuement, puisant au passage sa part de plaisir.

— Nous n'avons pas le téléphone, reprit-il sur le même ton. Et puis, de toute façon, nous ne sommes plus là.

— Ah bon ? s'étonna Rebecca, se prêtant au jeu. Dans ce cas où sommes-nous ?

D'autorité, Shane passa un bras sous ses épaules, l'autre sous ses genoux, et la souleva de terre.

— Où tu voudras, répondit-il en l'entraînant rapidement hors de la pièce. N'importe où pourvu que personne ne puisse nous y rejoindre…

Lorsqu'ils furent parvenus dans sa chambre, Shane posa Rebecca sur le sol et ferma soigneusement la porte derrière lui. Le téléphone enfin s'était tu, et il gagna rapidement la table de nuit pour décrocher le combiné du deuxième poste et l'enfermer dans un tiroir afin d'en atténuer le bip obstiné.

— Voilà longtemps que je rêvais de faire ça, confia-t-il.

Rebecca étouffa sous sa main un petit gloussement de joie.

— Tu n'as même pas de répondeur ! se réjouit-elle. Ça va les rendre fous…

— Parfait !

Shane, en approchant lentement de Rebecca, songeait qu'il aurait volontiers décroché pour donner aux parents de Rebecca quelques petites leçons de tendresse et d'humanité. Mais cela pouvait attendre. Sa seule priorité, pour l'instant, était d'effacer la tristesse qui continuait de baigner ses yeux et de faire renaître le sourire sur ces lèvres qu'il lui tardait de dévorer de baisers.

— Alors ? insista-t-il après avoir cédé à l'envie d'y goûter un peu. Où veux-tu aller ? Sur une île aussi déserte ? Dans un chalet de montagne bloqué par la neige ? Derrière les vieux murs d'un château hanté dans les Highlands ?

Pendant que Shane laissait courir sa bouche brûlante sur son visage, Rebecca rejeta la tête en arrière, les yeux clos et un sourire rêveur au coin des lèvres.

— Imagine…, poursuivit-il sans se laisser décourager par son mutisme. Une longue plage vide, bordée de cocotiers, du sable blanc, des eaux couleur de jade…

Les baisers de Shane, comme les images qu'il évoquait pour elle, se firent plus précis.

— Tu entends le murmure des vagues ? Tu sens le parfum des orchidées sauvages porté par le vent ?

Laisse-moi t'emmener sur cette plage... La lune semble rendre l'écume phosphorescente. J'aime voir sa lumière jouer sur ta peau nue...

Sans cesser de mordiller ses lèvres, son menton, son cou, Shane fit glisser des épaules de Rebecca le gilet qu'elle portait et entreprit, avec une troublante et délicieuse lenteur, de déboutonner son chemisier. Lorsque celui-ci tomba à son tour sur le sol, elle sentit ses mains se placer en coupe sous ses seins et se cabra avec un gémissement de plaisir contre lui.

— La lumière de la lune caresse les vagues en même temps que ton corps. Ma douce Rebecca, laisse-moi t'emmener là-bas...

— J'y suis déjà...

Sans perdre un instant le contact avec sa bouche qui se prêtait avec ferveur à ses baisers, Shane s'empressa de se débarrasser de sa chemise.

— Rassure-toi, murmura-t-il d'une voix enjôleuse, il n'y a rien que nous sur cette plage. Et rien d'autre à faire que l'amour... Faisons l'amour, Rebecca... Nuit et jour.

Rebecca se laissait porter par la magie des mots de Shane. Jamais autant qu'en cet instant elle n'avait expérimenté le merveilleux pouvoir d'évocation du verbe. Sous la caresse de ses mains douces et chaudes, sa peau se hérissait de plaisir. Elle aurait juré pouvoir entendre le bruit des vagues venant se briser sur le sable.

— Nous sommes allongés dans les vagues, murmura-t-elle avec émerveillement. Je peux sentir le ressac sur mon corps...

— Magnifique ! s'enthousiasma Shane en s'activant patiemment à finir de les déshabiller tous deux. Ta peau est humide, elle glisse sous mes doigts. Sous ma langue, elle a un goût de sel.

Parlant à mi-voix, sans relâche, comme pour ne pas rompre le charme, Shane la souleva de nouveau dans ses bras et la déposa délicatement sur le lit.

— La lumière des étoiles se reflète dans tes yeux.

Bien que la chambre eût encore été baignée par les derniers rayons du soleil couchant, Shane aurait juré distinguer des éclats argentés dans l'or de ses iris. Allongé sur le côté auprès d'elle, il ne se lassait pas de parcourir de ses yeux émerveillés, de ses mains affamées, ce corps abandonné avec tant de confiance et de volupté à ses regards et à ses caresses.

— Nous pouvons rester ici autant que tu le voudras, murmura-t-il à son oreille. Aussi longtemps que tu le désireras…

La bouche de Shane ne quittait plus celle de Rebecca, caressant, donnant, prenant et s'emportant à lui mordiller les lèvres lorsque celles-ci s'amollirent et laissèrent échapper un soupir. Il le devinait, elle était à présent tout entière avec lui, sur cette plage de rêve. Puisque nul ne s'était avisé de le faire avant lui, il voulait lui montrer ce que c'était que d'être tendrement aimée. Aussi s'efforçait-il de rendre ses mains, ses lèvres, ses caresses, aussi douces, aussi patientes que possible.

Rebecca avait l'impression de flotter sur une mer de plaisir. Sur sa peau, les mains de Shane étaient comme une onde bienfaisante, la nourrissant de richesses inconnues d'elle jusqu'alors. Et le don qu'il lui faisait de toute sa tendresse, de toute sa générosité, était un cadeau pour l'âme autant que pour le corps. Elle rêvait que le sable reposait sous eux, humide et doux. Le murmure du vent formait un contrepoint à celui des vagues. La lune pleine déversait dans la nuit d'encre des flots de lumière argentée. Le parfum des fleurs tropicales les enivrait. La plage s'étendait à perte de vue. Et son amant était avec elle. Attentionné. Patient. Aimant…

— Rebecca ? murmura Shane contre son oreille. Où es-tu ?

— Près de toi…

— Parfait… Reste près de moi. Reste avec moi.

Passionnément, Rebecca referma ses bras autour de lui et ils roulèrent enlacés, longuement, parmi les vagues. Et lorsqu'elle se laissa retomber pantelante sur le sable, il fut là de nouveau pour la caresser encore, et la conduire patiemment vers de nouveaux sommets. La savoir entièrement livrée à lui était l'une des expériences les plus émouvantes et les plus excitantes qu'il eût jamais connues. Murmurant son nom, il l'enveloppa de ses bras avec passion pour la hisser contre lui. Sous peine d'avoir à en devenir fou, il lui fallait à présent presser le pas pour aller plus loin, plus fort, plus vite.

Avidement, Shane laissa ses lèvres se refermer sur la pointe dressée d'un de ses seins, jubilant de la sentir se cabrer au-dessus de lui et crier son nom. Après lui avoir montré ce qu'était l'amour, le vrai, il voulait lui faire connaître la fierté d'être désirée avec urgence et passion.

Rebecca sentait les éléments peu à peu se déchaîner autour d'elle. Les yeux fermés, concentrée sur les petits ruisseaux de sensations délicieuses qui lui parcouraient le corps, elle ne pouvait penser qu'à cette tempête qui s'annonçait. A présent, la mer était agitée et les vagues venaient se briser avec violence contre son corps. Elles la soulevaient, elles l'emportaient vers quelque gouffre de ténèbres liquides, dans lequel elle allait plonger sans hésiter puisqu'elle était dans les bras de Shane.

Comme à un radeau, elle s'accrochait à lui, à ce corps désiré et sûr dans la tourmente. Contre sa bouche, sa bouche s'ancrait désespérément. Dans ses cheveux, ses doigts s'accrochaient solidement tandis qu'avec ses lèvres, avec sa langue, avec ses dents, Shane parcourait une fois encore les mille et un chemins secrets de son corps. Avec délice et reconnaissance, elle se noyait en lui, et n'aspirait plus qu'à la fusion totale de leurs corps.

Masquée par de gros nuages noirs, la lune avait depuis longtemps cessé d'éclairer la scène. De temps à autre, un éclair lézardait l'horizon, où grondaient d'inquiétants roulements de tonnerre. Jamais la nuit ne lui avait paru aussi noire, aussi dangereuse, aussi excitante… De très loin, comme si sa voix lui parvenait depuis un monde lointain, elle s'entendit le supplier de lui donner plus, de venir en elle.

— Rebecca… Regarde-moi.

Allongé sous elle, Shane avait crispé douloureusement ses doigts sur ses hanches. Sa voix était rauque et impérieuse. Son corps n'était plus qu'un arc bandé.

— Regarde-moi ! ordonna-t-il de nouveau. J'ai besoin de voir tes yeux…

Alors seulement, lorsqu'elle lui eut donné satisfaction et que leurs regards furent rivés l'un à l'autre, il glissa en elle avec un soupir de reconnaissance. Arrimés l'un à l'autre, ils voguèrent de concert vers de nouvelles plages de plaisir infini.

*
* *

Dans l'atmosphère saturée de nuages de vapeur de la cabine de douche, Rebecca regardait Shane offrir avec un grognement de plaisir son visage au jet d'eau bouillante. Venant se placer derrière lui, elle pressa son corps nu contre le sien et embrassa tendrement son large dos mouillé.

— Seigneur ! s'exclama-t-il en riant. Me prendrais-tu pour un lapin ?

— Pas du tout, répondit-elle en renouvelant son baiser. C'était juste pour te remercier.

Shane se retourna, les bras levés pour faire mousser le shampooing dont il venait de s'asperger copieusement le crâne.

— Me remercier ? s'étonna-t-il. Mais de quoi ?

Un œil fermé pour éviter le ruisseau de mousse qui menaçait de s'y écouler, Shane la dévisageait avec une telle naïveté que Rebecca sentit son cœur fondre pour lui.

— Lorsque tu es rentré tout à l'heure, expliqua-t-elle, tu devais être fourbu et affamé. Et pourtant, tu as sans hésiter pris le temps qu'il fallait pour me consoler de mes malheurs et me changer les idées.

— Oh ! C'est vrai, reconnut Shane avec un sourire entendu. C'était vraiment une corvée. Je ne sais pas comment j'y suis arrivé…

Rapide comme l'éclair, il décrocha le pommeau de douche et lui aspergea copieusement le visage, avant d'entreprendre de se rincer les cheveux.

— Tu peux plaisanter, insista-t-elle en s'essuyant les yeux. N'empêche que tu as été formidable. Je ne l'oublierai jamais.

— C'est ce qu'elles disent toutes ! fanfaronna-t-il en se rengorgeant.

Puis, découvrant le regard sévère qu'elle lui lançait, il lui fit un clin d'œil et assura :

— Je plaisantais…

— Tu sais que la plupart des accidents domestiques se produisent dans la salle de bains ? demanda Rebecca d'un air pincé.

— C'est ce que j'ai entendu dire. Tu devrais te méfier !

— Toi aussi…

Après avoir raccroché le pommeau de douche, Shane prit appui de ses deux mains tendues devant lui sur la paroi carrelée, emprisonnant Rebecca entre ses bras et le mur.

— Tu te rappelles, dit-il avec une feinte innocence, la première fois où nous avons fait l'amour ici ? Naturellement tu t'en souviens — tu n'oublies jamais rien.

— Si tu penses pouvoir t'en sortir en me prenant par les sentiments, rétorqua-t-elle, tu te trompes…

— Si je le voulais, assura-t-il, je le pourrais sans problème.

Lentement, il baissa la tête pour déposer sur les lèvres de Rebecca un baiser léger.

— Mais si je ne mange pas rapidement quelque chose, conclut-il, tu risques fort de me retrouver évanoui sur le carrelage…

— Pendant que tu t'habilles, suggéra-t-elle, veux-tu que je nous fasse chauffer un peu de soupe ?

— Tu n'as vraiment rien d'autre à me proposer ? soupira-t-il.

Haussant les épaules, Rebecca se rembrunit et se faufila habilement pour sortir de la cabine de douche.

— Puisque c'est ainsi, lança-t-elle, tu n'as qu'à préparer toi-même ton repas.

— Tu sais ce que j'ai remarqué ?

Après avoir refermé le robinet et tendu le bras pour saisir une serviette, Shane poursuivit sans attendre de réponse :

— Tu piges tout au quart de tour. Il te suffit de poser un million de questions, d'enregistrer les réponses, de les classer, pour tout savoir d'un sujet qui, une minute auparavant, t'était totalement étranger. S'il le fallait, je parie que tu pourrais par exemple te charger de la traite à ma place…

— Méfie-toi, le prévint-elle en passant un peignoir. Tu pourrais me donner des idées !

— L'autre jour, poursuivit Shane sans se laisser distraire, je t'ai vue résoudre un casse-tête chinois en moins de deux minutes. La dernière fois que nous sommes allés faire les courses ensemble, tu avais déjà préparé la monnaie — au penny près ! — avant même que la caissière ait commencé à enregistrer nos achats…

Rebecca haussa les épaules et ramassa nerveusement une brosse pour se coiffer à grands gestes rapides.

— Cela signifie simplement que j'ai le sens de l'observation et que je suis douée pour le calcul mental, marmonna-t-elle.

Intrigué par sa réaction, Shane noua une serviette autour de ses hanches sans la quitter des yeux.

— Tu es trop modeste, reprit-il. Tu pourrais construire un réacteur nucléaire dans le salon s'il t'en prenait l'envie. Et pourtant, tu es incapable de faire cuire un œuf. Ou plus exactement, tu ne veux pas t'en donner la peine… Parce qu'il est bien plus facile de cuisiner que de construire un réacteur nucléaire.

A ces mots, Rebecca tourna la tête et lui adressa par-dessus son épaule un sourire contrit.

— Me voilà démasquée, dit-elle. Vos conclusions, monsieur le procureur ?

— Je me charge de la cuisine, et toi du réacteur…

La plaisanterie la fit sourire, mais l'ombre qui était passée au fond de ses yeux n'avait pas échappé à Shane.

— Rebecca…

Après l'avoir rejointe, Shane lui prit le visage entre ses mains pour capter son regard.

— Ton intelligence, dit-il avec conviction, n'est pas et de loin la seule chose attrayante en toi. J'aime autant te faire perdre la tête que te regarder t'en servir… L'essentiel, c'est que tu sois là, près de moi.

Rebecca laissa échapper un soupir et baissa les yeux.

— Difficile de ne pas souhaiter être normale quand on a été un phénomène toute sa vie…

— Tu n'es pas un phénomène. Tu es normale. Mais pourquoi cela devrait-il t'empêcher d'être spéciale ?

Rebecca songea avec étonnement que le raisonnement était tellement simple, tellement juste et évident, qu'il ne pouvait qu'émaner de lui… Se hissant sur la pointe des pieds, elle effleura ses lèvres des siennes et murmura simplement :

— Merci.

— Pas de quoi…

Résolument, Rebecca reposa son peigne et suggéra avec entrain :

— Et si nous descendions ? Tu pourrais peut-être me donner ma première leçon de cuisine…

Chapitre 11

— C'est vraiment gentil de prendre le temps de me recevoir, dit Rebecca avec un sourire aimable.

Savannah étendit ses jambes devant elle, sans quitter des yeux le magnétophone que Rebecca venait de déposer sur la table en pin verni autour de laquelle elles avaient pris place.

— J'ai toujours le temps pour les amis, répondit-elle avec un geste négligent de la main.

Rebecca promena un regard curieux sur le living-room chaleureux et confortable où elles se trouvaient, s'arrêtant sur les grandes toiles vibrantes de mouvement et de couleurs de Savannah. Non loin d'elles, Layla, à quatre pattes sur un tapis en lirette, poussait un gros camion de plastique jaune, tout en faisant des bruits de moteur avec sa bouche.

— Pourtant, reprit Rebecca, j'imagine qu'une femme avec trois petits enfants, un métier, une maison, un mari, ne doit pas chômer tout au long de la journée... Comment faites-vous pour vous organiser ?

— Le premier secret, répondit son interlocutrice avec un clin d'œil, c'est d'y prendre plaisir. Et je dois reconnaître que c'est une vie que j'ai choisie et qui me plaît. Le second secret — je peux bien vous l'avouer puisqu'ils ne sont pas là — c'est que mes deux hommes mettent souvent la main à la pâte. Ce qui n'empêche pas la situation de devenir carrément ingérable à peu près une dizaine de fois par jour…

Comme pour illustrer ses dires, les pleurs de Miranda se firent entendre à l'étage, faisant naître un sourire radieux sur les lèvres de Savannah.

— L'heure du goûter, expliqua-t-elle en se levant. Je vous prie de m'excuser, je ne serai pas longue.

— Bébé, babilla Layla en regardant sa mère gravir l'escalier.

Gambadant rapidement sur ses petites jambes, elle rejoignit Rebecca et lui tendit la poupée fatiguée qu'elle traînait partout derrière elle.

— Bébé ! répéta-t-elle avec conviction.

Obligeamment, Rebecca embrassa la poupée, puis l'enfant.

— C'est un très joli bébé, approuva-t-elle gravement. Presque aussi joli que toi.

Layla coinça négligemment la poupée sous son bras pour aller se poster au pied de l'escalier. Lorsque sa mère apparut sur le palier, berçant Miranda, elle se mit à trépigner de joie.

— Bébé ! hurla-t-elle. Mon bébé !

— Le bébé a faim, expliqua Savannah à sa fille.

Avec un sourire attendri, Rebecca regarda la mère et les deux enfants s'installer confortablement pour la tétée dans un sofa garni de coussins. En quelques gestes habiles, Savannah eut tôt fait de libérer son sein, sur lequel le bébé fondit avec un soupir de pur ravissement. Pendant que sa mère lui caressait doucement la tête, Layla déposa sur la joue rouge et rebondie une série de petits baisers mouillés, puis s'en retourna, satisfaite, à ses occupations.

Le sentiment de jalousie pure et simple qui à sa grande surprise s'était emparé d'elle empêcha Rebecca de poser les questions qui n'avaient pas manqué d'affluer à son esprit. « Quel effet cela vous fait-il de nourrir votre enfant ? Est-ce l'intimité de cette relation qui rend vos yeux si doux, vos gestes si tendres, votre sourire si paisible ? »

A la place, elle s'entendit demander :

— Voulez-vous que nous remettions l'entretien à plus tard ?

— Certainement pas, répondit Savannah sans quitter des yeux le bébé. Posez-moi vos questions, j'y répondrai…

— Lorsqu'elle allaite Jason, murmura Rebecca, Regan ressemble à une madone de la Renaissance italienne. Vous, pas du tout…

Voyant Savannah sursauter et lui lancer un regard étonné, Rebecca se mit à rire et s'empressa de préciser :

— Ne le prenez pas mal ! Ce que je veux dire, c'est que vous ressemblez à l'une des figures de tarot que j'ai étudié à une époque : l'Impératrice, symbole de la fertilité, de la puissance féminine.

Savannah sourit, amusée.

— Je ne vous surprendrai pas, en vous disant que ce n'est pas la première fois que j'entends ce compliment…

Un peu embarrassée, Rebecca lui rendit son sourire.

— Je m'en doute, en effet.

Puis, après s'être éclairci la gorge et avoir rassemblé ses idées, elle enclencha la touche d'enregistrement du magnétophone et posa sa première question. Durant une bonne demi-heure, l'entretien se poursuivit ainsi, Rebecca amenant en douceur son interlocutrice à se confier sur des sujets d'ordre général, avant d'aborder des questions plus personnelles, puis nettement plus ésotériques. Lorsqu'elle arrêta l'enregistrement, le bébé s'était endormi, repu.

— Puis-je à mon tour vous poser une question ? demanda Savannah en refermant d'une main sa chemise.

Elle alla déposer Miranda dans un couffin non loin de là.

— Bien sûr…

— Qu'avez-vous l'intention de faire de tout ceci ? Je sais que vous voulez écrire un livre, bien sûr, mais je ne comprends pas très bien comment vous allez pouvoir utiliser ce que je viens de vous confier — ce que nous vous avons tous confié.

— Je voudrais me baser sur l'expérience de vos trois couples pour mettre en lumière l'influence que les légendes liées au champ de bataille d'Antietam ont eue sur vos vies, expliqua Rebecca sans se faire prier. C'est étrange de constater à quel point le passé a des retentissements sur votre présent et sur votre avenir.

Tout en parlant, Rebecca s'animait sans s'en rendre compte, tentant de traduire par des gestes les points forts de sa démonstration.

— Six adultes, poursuivit-elle avec passion, trois hommes et trois femmes, constituent trois couples, trois familles qui dans le fond n'en forment qu'une seule. D'après ce que vous avez bien voulu me raconter, les uns et les autres, les relations qui se sont nouées entre vous ont été fortement affectées par les événements qui se sont déroulés ici des décennies avant qu'aucun de vous ne soit né. Cela ouvre un champ de réflexions passionnantes… De quelle manière le passé influe-t-il sur nos vies et nos destinées ? Comment un endroit chargé d'histoire peut-il marquer ceux qui y vivent au point de bouleverser leur existence ?

— Je comprends votre thèse, intervint Savannah, et elle me paraît passionnante. Mais il me semble qu'il manque une composante à votre équation.

— Je vous demande pardon ?

Après s'être assurée que Miranda dormait profondément, Savannah la recouvrit et vint se rasseoir dans le sofa. Layla, la voyant faire, s'empressa de la rejoindre pour réclamer à son tour le câlin dont sa sœur venait de profiter. Débordant d'un amour maternel si évident que Rebecca en eut le cœur serré, elle lui ouvrit ses bras et commença à la bercer sur ses genoux.

— Vous dites que vous avez interviewé chacun d'entre nous. Pourtant, à aucun moment vous n'avez fait mention de Shane, s'étonna-t-elle.

Rebecca eut un petit rire nerveux et entreprit de ranger avec un soin maniaque son magnétophone et son bloc-notes dans son sac.

— Vous savez, répondit-elle prudemment, comme il peut être réfractaire à ce genre de choses. Il me tolère chez lui, mais il n'apprécie guère ce que je suis venue y faire. De toute façon, il ne rentre pas dans mon équation : trois hommes, trois femmes, trois couples, trois liens privilégiés avec le passé…

Hochant la tête pensivement, Savannah hésita avant de se décider à parler.

— Les maths, cela n'a jamais été mon fort, dit-elle.

Mais je persiste à penser que votre expérience serait plus complète avec quatre couples…

Alors que Layla, satisfaite, descendait de ses genoux pour repartir vers de nouvelles aventures, Savannah lui déposa un baiser sur la joue.

— Qu'en est-il du couple que vous formez vous-même avec Shane ? reprit-elle en regardant sa fille s'éloigner.

Rougissant jusqu'à la racine des cheveux, Rebecca ne put s'empêcher de détourner les yeux.

— Ce n'est… ce n'est pas la même chose, bafouilla-t-elle.

— Ah bon ? s'étonna Savannah. Pourquoi donc ? Il est manifeste qu'il est amoureux de vous comme vous l'êtes de lui. Quant au lien avec le passé, vous ne me ferez jamais croire que vous êtes arrivée ici par hasard !

— Il ne faut pas confondre l'attraction physique, l'affection…, s'obstina Rebecca. Seigneur ! Etes-vous sûre de n'être pas un peu médium, dans le fond ?

Savannah partit d'un grand éclat de rire.

— Rassurez-vous, lança-t-elle joyeusement, vous êtes une jeune femme parfaitement maîtresse d'elle-même et qui ne montre rien de ses émotions. Mais il m'arrive de… sentir des choses.

Comme une flamme qui s'élève, sa longue main hâlée par le soleil monta en tournoyant devant son visage.

— Il paraît, reprit-elle, que c'est le lot de nous autres artistes. Il ne faut pas oublier non plus mes ancêtres shamans, ni le fait qu'il n'y a pas mieux qu'une femme amoureuse pour en reconnaître une autre…

Savannah redevint brusquement sérieuse, et, sous le regard perçant de ses grands yeux marron, Rebecca se sentit fouillée jusqu'au fond de l'âme.

— Je vous aime bien, décréta-t-elle au bout de quelques instants. Rassurez-vous, je ne dis pas cela à tout le monde. Dans les amitiés, je suis plutôt… sélective. Et pour tout vous dire, je m'attendais à ne pas vous apprécier du tout.

Les bras confortablement posés sur le dossier du sofa, Savannah étendit ses longues jambes devant elle et les croisa avec un plaisir manifeste.

— Lorsque Regan me parlait de vous, reprit-elle, je ne pouvais m'empêcher de penser à un cerveau hypertrophié avec des lunettes à grosses montures.

Cette fois, ce fut au tour de Rebecca de rire aux éclats. Et le fait qu'elle ait pu le faire lui montrait bien quel chemin elle avait parcouru depuis le temps où elle ressemblait à la caricature que Savannah venait de faire d'elle.

— Si vous arrivez à peindre un portrait qui ressemble à ça, dit-elle gaiement, je vous promets de l'accrocher dans mon bureau.

— Marché conclu !

Comme pour marquer la solennité de la question qu'elle s'apprêtait à poser, Savannah se redressa sur son siège et se pencha vers elle, les coudes posés sur les genoux.

— Rebecca, sans vouloir me montrer indiscrète, comment pensez-vous que votre relation avec Shane va évoluer ?

Rebecca baissa les yeux.

— J'essaie d'en apprécier chaque seconde, répondit-elle.

— C'est tout ?

— C'est beaucoup plus que ce que j'ai jamais eu… Bien sûr, il y aura sans doute un prix à payer. Je le paierai. Comme vous l'avez sans doute remarqué, je suis une femme plutôt pragmatique…

— Et parce que vous l'êtes, conclut Savannah, je vous vois mal consacrer tout ce temps et toute cette énergie à écrire un livre en laissant de côté un élément essentiel, c'est-à-dire cette connexion avec le passé qui vous lie à la ferme, Shane et vous. Franchement, Rebecca ! Pouvez-vous réellement délaisser cette pièce-là, alors que vous êtes sur le point de reconstituer le puzzle ?

En regagnant la ferme à travers bois, Rebecca ne cessait de remuer dans sa tête la troublante question soulevée par Savannah au terme de leur entretien. Après bien des tergiversations, elle finit par décider que la réponse était oui. Oui, il lui serait possible de faire l'impasse dans son livre sur cet aspect de la réalité, dès lors qu'il s'agissait de sauvegarder la tranquillité d'esprit de Shane.

Par amour pour lui, elle était prête à consentir à bien plus que cela encore… Par exemple à s'éclipser, afin de le laisser vivre cette vie de don Juan qui manifestement lui convenait, sans l'encombrer avec les sentiments qu'elle lui portait. Cela lui ferait sans doute très mal, mais elle y survivrait. Du moins l'espérait-elle… Intellectuellement, elle savait que nul ne pouvait mourir d'avoir le cœur brisé. De manière plus intuitive, elle suspectait que certains, plus que d'autres, en étaient capables.

Pourtant, il lui serait plus facile de continuer à vivre en ayant aimé, qu'avec le regret de n'avoir jamais connu cette expérience. Connaissant les tragédies grecques sur le bout des doigts, elle savait que le bonheur intense a un prix. La facture des quelques semaines de rêve qu'elle venait de vivre ne tarderait pas à lui être présentée…

Si Savannah pouvait lire en elle à livre ouvert, il était à craindre que d'autres le puissent aussi. Shane le pourrait sans doute, ce qui rendrait les choses encore plus difficiles à supporter. Pour rien au monde elle ne voulait être une entrave pour lui. Elle avait trop d'estime et d'affection à son égard pour prendre le risque de le placer dans la situation inconfortable d'avoir à refuser son amour. Ce qui signifiait qu'il lui fallait songer à partir sans tarder…

La journée du lendemain constituerait la date anniversaire de la bataille d'Antietam. Elle sentait qu'il était important pour elle — voire même primordial — d'être constamment présente à la ferme ce jour-là, et peut-être même le jour suivant. Mais ensuite, plus rien ne la retiendrait et elle passerait quelques jours chez Regan et Rafe, avant de rentrer à New York.

En sortant du bois, Rebecca embrassa du regard le spectacle paisible de la ferme MacKade dans son écrin de verdure. Une fumée grise montait de la cheminée principale, ce qui en ce début d'automne rendait la perspective d'une soirée au coin du feu tout à fait appréciable. S'arrêtant quelques instants pour contempler la grange, les murs de pierre, les volets de bois, les barrières blanches des enclos, il lui parut soudain évident qu'il lui serait aussi pénible d'avoir à quitter cet endroit que d'avoir à dire adieu à celui qui y habitait…

Frissonnant, Rebecca serra frileusement les bras contre elle. Alors qu'elle s'engageait dans le champ laissé en jachère pour rejoindre la ferme, elle aperçut une petite voiture rouge qui arrivait le long de l'allée bordée d'arbres et se garait sur le côté de la maison. Elle vit Fred et Ethel accourir pour faire fête à la jeune femme rousse qui descendait du véhicule. Le crépuscule était assez silencieux pour que son rire cristallin parvienne jusqu'à elle. Et de l'endroit où elle se trouvait, elle aperçut le sourire de Shane lorsqu'il découvrit l'identité de sa visiteuse.

Un sentiment de jalousie féroce envahit le cœur de Rebecca. En les voyant tomber dans les bras l'un de l'autre, elle s'efforça en vain de se raisonner. Avec le plus parfait naturel, la beauté rousse passa ses bras autour du cou de Shane. Ils échangèrent quelques mots inaudibles, puis il y eut encore quelques rires, un nouveau baiser rapide au coin de la bouche, avant que la jeune femme ne regagne son véhicule.

Shane caressa les chiens en la regardant s'éloigner, puis, après un dernier salut de la main, se redressa. Comme s'il avait pu sentir sa présence, Rebecca le vit scruter les champs alentour et se figer lorsqu'il l'aperçut. Il passa les pouces dans les poches de son pantalon et l'accueillit avec un sourire gêné.

— Hello, dit-il. Savannah va bien ?

— Très bien, répondit Rebecca comme si de rien n'était. J'ai pu admirer ses œuvres. Elles sont magnifiques…

En hochant vaguement la tête, Shane la dévisagea quelques instants d'un air inquisiteur.

— C'était Frannie Spader, expliqua-t-il enfin. Tu l'as déjà vue, n'est-ce pas ?

— J'ai cru la reconnaître, en effet.

Pour cacher sa nervosité, Rebecca s'accroupit et répondit aux effusions empressées des deux chiens.

— Elle était juste venue me dire un petit bonjour, reprit Shane comme s'il marchait sur des œufs.

— C'est ce que j'ai vu, répondit-elle d'une voix neutre.

Puis, préférant lui éviter de se ridiculiser davantage, elle se redressa et dit :

— Je te laisse. Je dois aller transcrire cette interview.

Mais avant qu'elle ait pu s'éloigner, il la retint par le bras.

— Rebecca… Il n'y a plus rien entre nous. C'est une amie, c'est tout.

En un pur réflexe de protection, Rebecca parvint à se composer un visage détaché.

— Pourquoi éprouves-tu le besoin de dire cela ?

Déstabilisé par sa réaction, Shane parut soudain perdre pied.

— Parce que…, marmonna-t-il. Parce que Fran et moi, nous étions…

Incapable d'achever sa phrase, il jura sourdement entre ses dents et conclut :

— Enfin, bref, nous ne le sommes plus depuis… Eh bien, depuis que tu es arrivée. Nous sommes amis. C'est tout.

Oh ! qu'il était doux de le voir s'enferrer ainsi, songea Rebecca sans rien laisser paraître de sa jubilation.

— Et tu penses qu'il était nécessaire de me l'expliquer ? reprit-elle sans se départir de son détachement.

— Je ne voudrais pas que tu te fasses des idées fausses.

— Tu penses que je me fais des idées ?

— Arrête de jouer ainsi avec moi ! s'emporta Shane.

— Sais-tu ce qu'est la jalousie ? demanda-t-elle.

Voyant qu'il la fusillait du regard sans répondre, les poings serrés, elle haussa les épaules et ajouta :

— Je suis désolée. Il me paraît évident que tu avais une vie avant moi, et que cette vie continuera quand je serai partie.

— C'est ça ! grogna Shane. Envoie-moi le passé à la figure, maintenant…

— Tes amitiés te regardent. Mais je me demande tout de même combien de ces… amies je suis susceptible de croiser quand je mets un pied en ville.

A présent, Shane paraissait à deux doigts d'exploser…

— Ecoute-moi bien, lança-t-il d'une voix grondante de colère. Si j'avais couché avec autant de femmes que les commères d'Antietam le prétendent, j'aurais passé ma vie au lit depuis que je suis né… Figure-toi que je n'ai pas systématiquement fait l'amour avec toutes les femmes qui sont sorties avec moi… Mais pourquoi est-ce que je te raconte tout cela ?

— C'est la question que je m'apprêtais à te poser, répondit doctement Rebecca. Mais si tu veux une réponse, je pense que tu éprouves un fort sentiment de culpabilité…

— Silence !

Les yeux emplis d'une fureur menaçante, Shane saisit le visage de Rebecca entre ses mains et plongea résolument son regard dans le sien.

— Frannie est venue voir si je voulais sortir avec elle ce soir, expliqua-t-il d'une voix blanche. Je lui ai dit que non. Elle m'a demandé alors si j'étais attaché à toi et je lui ai répondu par l'affirmative. Nous avons parlé encore une minute de choses et d'autres, puis elle a conclu avant de partir qu'elle comprenait et qu'elle garderait un bon souvenir de notre liaison. Tu es satisfaite ?

Rebecca avait l'impression que son cœur recommençait à battre dans sa poitrine. Pourtant, ce fut d'une voix parfaitement neutre qu'elle demanda :

— Pourquoi devrais-je l'être, selon toi ?

Les yeux de Shane se réduisirent à deux minces fentes au fond desquelles brûlait un feu inquiétant. Rebecca en fut très satisfaite… Presque aussi satisfaite que de le voir tourner les talons sans mot dire et s'éloigner en pestant à mi-voix.

— Joli travail, docteur Knight, marmonna Rebecca pour elle-même, songeant avec une joie un peu enfantine que tant qu'elle serait là, Shane réfléchirait à deux fois avant d'embrasser une autre femme…

En gravissant les marches du porche, elle sifflotait un petit air joyeux. Le percer à jour et lui donner une bonne leçon avait été tellement facile qu'elle en arrivait presque à le regretter. Pauvre Shane… Il s'était montré tellement prévisible, avec sa crainte qu'elle n'interprète mal un baiser somme toute assez innocent… Même si sa longue carrière d'homme à femmes ne plaidait pas en sa faveur, elle ne l'avait jamais confondu avec un coureur de jupons. Un jour, il faudrait qu'elle songe à lui expliquer la différence entre un homme qui aime les femmes et les respecte et un autre qui les méprise, et ne cherche qu'à les utiliser pour son plaisir…

Après s'être demandé fugitivement si ce petit incident lui vaudrait un nouveau bouquet de fleurs, Rebecca se décida à préparer seule le dîner. Etant donné les circonstances, le moment ne pouvait être mieux choisi… Pour vaincre la timidité qui s'emparait d'elle chaque fois qu'elle s'installait aux fourneaux, Shane avait réussi à la convaincre que l'art culinaire se résumait au fond à quelques expériences de chimie appliquée.

Sans perdre de vue cette idée rassurante, elle alla chercher dans son sac la formule du poulet grillé — ou plutôt la recette, corrigea-t-elle mentalement — que Regan lui avait donnée la dernière fois qu'elles s'étaient vues. Après l'avoir lue une fois, elle la mémorisa sans peine et passa un de ces tabliers de cuisine orné d'un dessin humoristique que Shane paraissait apprécier. Ainsi parée et après avoir retroussé ses manches, elle rassembla les ingrédients nécessaires et s'absorba avec une gravité et un soin de néophyte dans son expérience.

Avec surprise, elle se rendit compte qu'il était plutôt relaxant de laisser de côté les soucis du jour pour ne plus penser qu'aux préparatifs du repas. Bien sûr, elle imaginait sans peine que, renouvelée chaque jour, une telle tâche pût devenir une corvée. Mais en tant que hobby, c'était une activité qui se défendait. Si elle parvenait au terme de ce premier essai à ne pas mettre le feu dans la cuisine, il lui faudrait juste veiller à ce que ce hobby ne se transforme pas pour elle en vocation, comme cela lui arrivait régulièrement…

Lorsque les morceaux de poulet, découpés dans la sauteuse, grésillèrent dans un fond d'huile bouillante et odoriférante, Rebecca fit un pas en arrière pour s'accorder le bénéfice de l'autosatisfaction. Cela sentait bon, le bruit était agréable à l'oreille, cela paraissait appétissant — en toute bonne logique cela ne pouvait qu'être une réussite…

Elle imaginait sans peine la surprise — et même la stupéfaction — de Shane lorsqu'il pénétrerait dans la pièce et serait accueilli par d'alléchantes odeurs de cuisson. Elle piqua le poulet du bout d'une fourchette, en songeant qu'il devait être en train de passer sa colère en s'activant à la traite. D'ici peu, il serait de retour. Une fois le malaise dissipé, la nuit serait à eux. Une nuit qui venait vite, à présent que les jours raccourcissaient, les rapprochant irrémédiablement d'un hiver qui s'annonçait rigoureux.

Lui serait-il possible de voir briller sur les collines les feux de camp dans l'obscurité, si elle s'approchait de la fenêtre ? Les soldats étaient si proches, à présent, silencieux dans l'attente anxieuse de l'aube et de la bataille à venir…

Elle aurait voulu que John soit déjà de retour. Dès que les bêtes seraient soignées et à l'abri, il les rejoindrait, elle et ses filles. Soigneusement, ils se barricaderaient dans la maison pour la nuit. Ils y seraient en sécurité, à l'abri. Il le fallait. Jamais elle ne supporterait de devoir perdre un autre enfant, et John non plus…

Soucieuse, elle posa une main sur son ventre, comme pour protéger le bébé qui s'y était lové. Elle espérait de tout son cœur que ce serait un fils. Pas pour remplacer celui qu'ils avaient perdu, non — Johnny ne serait jamais remplacé, jamais oublié. Mais si l'enfant qu'ils avaient conçu était un garçon, peut-être la responsabilité d'avoir à en faire un homme suffirait-elle à atténuer la souffrance de John ?

Soigneusement, elle retourna dans la sauteuse en fonte les morceaux de poulet qu'elle venait d'y mettre à dorer, comme elle l'avait déjà fait tant de fois au cours de son existence. Après la douleur insupportable que la guerre leur avait causée, cette naissance annoncée était porteuse d'espoir. L'espoir que par un tour inattendu du destin, cette guerre sanguinaire se termine sur cette terre où son Johnny était né.

L'homme qui l'avait tué se trouvait-il là, quelque part à l'extérieur, attendant comme les autres de savoir s'il verrait le lendemain le soleil se coucher ? Demain à la même heure, peut-être son sang serait-il répandu sur le sol ? Sarah ne le souhaitait pas. A quoi cela aurait-il servi ? Elle ne souhaitait à aucune mère de souffrir ce qu'elle avait souffert. Elle ne souhaitait qu'une chose — qu'ils s'en aillent, tous, et qu'ils les laissent vivre en paix, avec leurs souvenirs et leurs regrets.

Des gouttes de graisse bouillante s'échappaient de la marmite pour venir percuter sa main, mais c'était à peine si Rebecca les sentait. Emotions, sons, pensées, souvenirs, mots, regrets, images, formaient sous son crâne un maelström étourdissant. *Possession*, eut-elle le temps de penser en titubant vers la table. Puis, alors que cet unique mot résonnait en elle, pour la première fois de sa vie elle perdit conscience et s'écroula comme une masse sur le sol.

D'humeur massacrante et peu disposé à s'avouer vaincu, Shane pénétra en trombe dans la pièce, prêt à reprendre le combat.

— Une dernière chose encore ! commença-t-il avec véhémence.

Puis il découvrit Rebecca allongée de tout son long près de la table et crut que son cœur s'arrêtait de battre.

D'un bond il fut près d'elle, s'agenouillant à côté d'elle pour la soulever dans ses bras.

— Rebecca !

Affolées, ses mains couraient sur son visage, cherchaient sur ses poignets la trace de son pouls.

— Rebecca, reviens-moi… Reviens tout de suite !

Terrifié à l'idée de la perdre, il la berça, la secoua, l'embrassa, la supplia jusqu'à ce qu'elle consente enfin à battre des paupières.

— Shane, murmura-t-elle en ouvrant les yeux.

— Dieu que tu m'as fait peur !

Un soulagement intense, tel qu'il n'en avait jamais connu, le submergea d'un coup.

— Reste allongée, souffla-t-il, le cœur battant à tout rompre. Tu dois rester tranquille jusqu'à ce que tu te sentes mieux.

— J'étais elle, murmura Rebecca en secouant la tête dans le creux de son bras. Pendant une minute j'ai partagé ses pensées… Aide-moi à me lever, il faut que j'aille vérifier mon matériel.

— Au diable ton matériel ! s'écria Shane en la retenant de force dans ses bras. Pour une fois, fais ce que je te dis et reste tranquille. T'es-tu cogné la tête ? Es-tu blessée quelque part ?

— Je ne… je ne pense pas, balbutia-t-elle. Que s'est-il passé ?

Shane émit un petit rire nerveux.

— Je comptais sur toi pour me le dire. Tout ce que je sais, c'est que je suis rentré et que je t'ai trouvée allongée sur le sol. Tu m'as fait vieillir de dix ans en une minute !

Après la surprise et la peur, c'est la colère qui l'emportait dans l'esprit de Shane.

— Mais qu'est-ce qui t'a pris de t'évanouir ainsi ? explosa-t-il. Est-ce que tu as au moins mangé suffisamment aujourd'hui ? Bon sang ! Ce que tu manges ne suffirait même pas à maintenir un oiseau en vie... Et tu ne dors pas assez non plus. A peine quatre ou cinq heures de sommeil par nuit, et te voilà repartie à tapoter comme une folle sur cette satanée machine !

Shane était parfaitement conscient d'exorciser sa peur par la colère, et il se doutait bien que Rebecca n'était pas dupe non plus. Mais bien loin de le retenir, cette certitude ne fit au contraire qu'exacerber sa hargne vengeresse.

— Je te prie de croire qu'à partir d'aujourd'hui ça va changer ! reprit-il sur le même ton. Si tu n'es pas capable de prendre soin de toi, moi je vais m'en charger. Tu n'as que la peau sur les os ! Ils ne t'ont donc jamais rien appris sur les besoins essentiels du corps, tes professeurs ? A moins que tu ne te croies au-dessus de ces basses contingences matérielles ?

Tant que Rebecca ne se sentit pas entièrement maîtresse d'elle-même, elle laissa patiemment Shane continuer sur ce registre. Il en était à broder sur les médecins qu'il allait l'emmener voir et sur les vitamines qu'il lui donnerait au petit déjeuner lorsqu'elle put enfin poser une main sur sa bouche pour le faire taire.

— C'est la première fois de ma vie que je m'évanouis, dit-elle avec un sourire rassurant, et je te garantis que je ne compte pas en faire une habitude. A présent, si tu pouvais te calmer une minute et me laisser me lever, je pourrais m'occuper de ce poulet qui est en train de brûler.

Pour toute réponse, Shane grogna quelque chose d'incroyablement vulgaire et de tout à fait désobligeant pour la pauvre volaille sur le point d'être carbonisée. Néanmoins, après avoir déposé Rebecca sur une chaise, il consentit en quelques gestes précis à aller éteindre le gaz sous la marmite et à l'ôter de la plaque chauffante.

— Peux-tu m'expliquer ce que tu étais en train de faire ? demanda-t-il d'un ton accusateur.

— Ça ne se voit donc pas ? s'étonna Rebecca en riant. Je préparais le repas. Dommage que je me sois évanouie, ça avait l'air bon. Tu crois qu'il est trop tard pour sauver le poulet ?

Sans lui répondre, Shane sauta d'un bond jusqu'à l'évier où il remplit un verre d'eau qu'il lui tendit.

— Bois !

Rebecca faillit lui répondre qu'il semblait en avoir bien plus besoin qu'elle avant de décider que le moment était plutôt mal choisi pour faire la forte tête.

— J'étais en train de cuisiner, expliqua-t-elle après avoir docilement bu son eau. Je laissais mes pensées vagabonder, et tout d'un coup elles n'étaient plus les miennes... Elles demeuraient très claires, très cohérentes, mais c'étaient les pensées de Sarah qui se déroulaient sous mon crâne...

Le visage de Shane se figea.

— Rebecca, protesta-t-il en secouant douloureusement la tête. Je crois que tu te laisses trop impressionner par toutes ces histoires du passé.

— Shane, répondit-elle patiemment. Je ne suis pas folle. Il est même difficile de trouver femme plus sensée et rationnelle que moi... Mais je sais ce qui se passe ici. La veille de la bataille, Sarah faisait cuire du poulet...

Shane ne put retenir un rire sarcastique.

— Ainsi, s'écria-t-il en croisant les bras d'un air de défi, tu sais même à présent ce que mes arrière-grands-parents mangeaient.

D'un geste sec, Rebecca fit claquer le verre sur la table.

— Que cela te plaise ou non, répondit-elle, oui, je le sais. Tout en cuisinant, Sarah s'inquiétait pour sa famille, songeait à son fils mort, au bébé qu'elle portait. Les soldats avaient établi leurs campements non loin d'ici. Elle faisait cuire du poulet pendant que son mari s'occupait des bêtes. Elle souhaitait ardemment qu'il rentre pour qu'ils puissent tous se mettre à l'abri dans la maison. Elle s'inquiétait pour lui. Elle aurait fait n'importe quoi pour soulager sa peine.

— Je crois que tu travailles beaucoup trop, intervint Shane, les traits tirés et le visage pâle. Je crois aussi que tu manques de rigueur scientifique et que tu laisses la perspective de l'anniversaire de la bataille influencer ton jugement.

Piquée au vif qu'il puisse l'attaquer sur son propre terrain, Rebecca se dressa d'un bond.

— Tu sais que ce n'est pas vrai ! lança-t-elle sur un ton accusateur. Tu sais comme moi ce qui se passe ici, même si tu as choisi de te voiler la face. C'est ton choix, et je le respecte. Je sais qu'il t'arrive d'avoir la nuit des rêves qui t'agitent beaucoup, mais je respecte ta décision et ta vie privée. Serait-ce trop te demander que de montrer le même respect vis-à-vis de mes sentiments et de mon travail ?

— Mes rêves ne regardent que moi, grogna Shane.

— C'est exactement ce que je viens de te dire. T'ai-je déjà demandé de me les raconter ?

Les yeux étincelant d'une colère froide, Shane secoua lentement la tête.

— Non, reconnut-il. Tu ne demandes jamais rien. Tu as des moyens bien plus subtils pour arriver à tes fins…

Plongeant les mains au fond de ses poches, il lui tourna le dos et marcha d'un pas rageur jusqu'à la porte.

— Quoi qu'il en soit, conclut-il en se retournant sur le seuil, je ne veux rien avoir à faire avec tout cela.

— Veux-tu que je m'en aille ?

Voyant qu'il hésitait à répondre, Rebecca sentit son sang se figer dans ses veines et reprit d'une voix ferme :

— S'il le faut, je suis prête à te supplier de me laisser rester. Ne me demande pas pourquoi, mais je sens qu'il me faut impérativement demeurer dans cette maison cette nuit. Peut-être également demain. J'apprécierais beaucoup que tu m'autorises à rester chez toi jusque-là. Ensuite, je te laisserai tranquille et je m'en irai.

— Où donc es-tu allée chercher que je te demandais de partir ?

Shane avait martelé chaque mot, furieux contre lui-même à présent. Pourquoi ce sentiment de panique en lui à l'idée de la voir plier bagage et s'en aller ? Il n'y avait jamais eu entre eux aucune promesse, aucun engagement. Il n'avait fait aucun serment et n'avait pas plus demandé à Rebecca de lui en faire.

— Libre à toi de rester si tu le souhaites, conclut-il en ouvrant la porte. Mais tu ne pourras pas m'associer à ton délire contre mon gré. J'ai du travail à finir. Ensuite, je m'en irai.

Désespérément, il aurait voulu qu'elle lui demande

où il comptait se rendre, afin de pouvoir lui répondre sèchement que cela ne la regardait pas. Mais, naturellement, Rebecca n'en fit rien. Ce qui ne lui laissa comme solution que de sortir comme il l'avait annoncé, alors que son seul désir était de ne plus la quitter…

Chapitre 12

Tout d'abord, Shane avait songé à prendre une bonne cuite. Il était conscient que cela n'avait rien d'un remède miracle pour régler les problèmes, mais c'était un procédé qui avait ses avantages, notamment celui d'être dispensateur d'oubli. Pour quelque temps du moins…

Hélas, il ne se sentait pas vraiment en train pour cela. Chercher querelle à quelqu'un lui paraissait pour l'occasion d'un plus grand secours. Puisque Rebecca n'était pas disposée à lui rendre ce service, il se rendit en ville, où il se dirigea tout droit vers le bureau du shérif. Depuis leur plus jeune âge, Shane avait toujours pu compter sur Devin pour une bonne bagarre. Et lorsqu'il découvrit en passant le seuil que Rafe serait également de la fête, il songea avec un sourire amer que celle-ci n'en serait que plus réussie.

— Hey ! lança Rafe en l'accueillant d'une vigoureuse tape sur l'épaule. Nous étions justement en train de songer à faire un poker. Tu as quelques billets verts sur toi ?

Shane lui répondit d'un vague grognement, avant de demander :

— Il y a des bières, dans le coin ?

Derrière son bureau, Devin mima la plus vertueuse indignation.

— Tu oublies où tu te trouves ? C'est la maison de la loi et de l'ordre, ici.

Puis, d'un pouce dressé par-dessus son épaule, il désigna au fond de la pièce une porte qui donnait sur un réduit.

— Tu en trouveras une ou deux là-dedans. Alors ? Partant pour un poker ?

— Pourquoi pas ?

Depuis la réserve où il scrutait d'un œil gourmand le contenu du petit réfrigérateur, Shane força la voix pour se faire entendre.

— Je peux faire ce que je veux de ma nuit, pas vrai ? Je n'ai pas comme vous autres une femme qui m'attend à la maison pour me réclamer des comptes…

De part et d'autre du bureau, Devin et Rafe échangèrent un sourire entendu.

— J'appelle Jared, décréta ce dernier en s'emparant du téléphone.

Shane, de retour dans la pièce, avait déjà vidé la première moitié de sa bouteille et paraissait fermement disposé à faire rapidement un sort à la seconde. Décidant qu'il lui fallait intervenir pour calmer le jeu, Devin s'appuya des deux pieds croisés sur son bureau et entreprit de se balancer mollement dans son fauteuil.

— Alors ? fit-il sur un ton enjoué. Quelles nouvelles de notre chasseuse de fantômes ?

— Aucune idée ! grogna Shane. Elle n'a pas de comptes à me rendre.

Avec un sourire réjoui, Devin croisa les mains derrière sa nuque.

— Oh-oh ! commenta-t-il. On dirait que nos tourtereaux ont eu une petite prise de bec. Elle t'a mis dehors ?

Arpentant la pièce de long en large, Shane éclata d'un rire trop fort et trop long.

— Tu plaisantes ? s'emporta-t-il. C'est encore ma maison, que je sache. De toute façon, la très raisonnable Rebecca Knight ne se laisse pas aller à avoir des *prises de bec*... Pas plus tard qu'aujourd'hui, elle est arrivée juste au moment où Frannie Spader m'embrassait. S'est-elle mise en colère ? M'a-t-elle cherché querelle pour cela ? Pas le moins du monde ! Bien sûr, le baiser de Fran n'avait rien que de très innocent et il ne fallait pas y voir malice. Mais le fait est que, quand vous partagez le lit de quelqu'un, rien ne vous oblige à supporter de le voir dans les bras de quelqu'un d'autre, pas vrai ?

Rafe parut étudier attentivement la question avant de répondre :

— Je serais assez d'accord avec ça. Toi aussi, Dev ?

— A peu près, oui...

Réjoui de voir l'unanimité s'établir autour de lui, Shane leva sa bouteille à leur santé.

— Vous voyez ! renchérit-il. Pourtant, le Dr Rebecca Knight est restée aussi froide et détachée face à moi que si elle avait étudié une bactérie sous un microscope... Je déteste quand elle fait ça.

— Qui aimerait ça ? approuva Rafe.

Pour mieux profiter du spectacle, il prit place à califourchon sur une chaise et attendit la suite.

Conforté par tant de compréhension fraternelle, Shane s'empressa d'achever sa première cannette et décapsula sans attendre la seconde.

— Autre chose encore ! reprit-il en s'essuyant la bouche d'un revers de main. Comment se fait-il qu'elle ne m'ait jamais demandé où tout ceci allait nous mener ? Dites-le-moi ! C'est toujours ce que les femmes demandent, tôt ou tard. C'est ce qui permet d'empêcher que les choses ne deviennent trop sérieuses, vous voyez ? En abattant cartes sur table…

— Je vois, assura Devin avec un sourire radieux.

— Moi aussi, renchérit Rafe.

— Eh bien elle, non… Jamais elle ne m'a demandé où tout ceci allait nous mener.

D'un œil pensif, Shane considéra le goulot de sa bouteille. Sans doute était-ce pour cette raison que les choses étaient devenues sérieuses entre eux deux. Du moins avait-il besoin de se raccrocher à cette idée…

— Ce que je n'arrive pas à comprendre non plus, poursuivit-il en s'asseyant machinalement au bord d'une chaise, c'est comment elle fait pour ne jamais être dans mes jambes. Elle travaille dans la cuisine, la plupart du temps, et pourtant elle est tellement discrète qu'on dirait qu'elle y a toujours été…

— Vraiment ? fit Rafe en adressant un clin d'œil à Devin.

— Vraiment… Elle est là, installée à table devant son ordinateur, quand je monte me coucher, et elle y est encore, le lendemain quand je descends pour le petit déjeuner…

Voyant du coin de l'œil la porte s'ouvrir, Rafe tourna la tête et découvrit Jared sur le seuil, les bras chargés d'un sac à provisions. En silence, il alla le déposer sur le bureau et en tira d'abondantes réserves de bière fraîche.

— On joue ?

Du menton, Devin désigna la chaise sur laquelle Shane semblait perdu dans d'intenses réflexions.

— Peut-être après, répondit-il. Shane était en train de nous parler de Rebecca.

— La chambre est tout imprégnée de son odeur, murmura celui-ci avec un soupir, sans se préoccuper de l'interruption. Elle ne laisse pas traîner d'affaires à elle, mais il y a quand même partout l'odeur de son savon, et des crèmes qu'elle se passe sur le corps.

D'un geste habile, Jared décapsula sa première bière et alla prendre place contre la fenêtre.

— Elle l'a mis dehors ? s'enquit-il à mi-voix en se tournant vers Rafe.

— Il dit que non.

Plus par réflexe que par conviction profonde, Shane redressa la tête, criant à qui voulait l'entendre :

— Je suis chez moi dans cette maison ! Je suis celui qui décide ce qui doit s'y passer ou pas. Et si je n'aime pas cet équipement stupide, ridicule et inutile qu'elle y a installé, c'est mon problème… Quant à sa manie de prendre toutes ces légendes au pied de la lettre, elle est en train de lui faire perdre la tête. Je n'apprécie pas particulièrement de rentrer chez moi et de la trouver inanimée sur le carrelage…

— Quoi ! s'exclama Devin, soudain alarmé, en se redressant dans son fauteuil. Qu'est-ce que tu racontes ?

Shane haussa les épaules d'un air maussade.

— Elle s'est évanouie, grogna-t-il. Autant que je puisse en juger… Elle affirme avoir rencontré notre arrière-grand-mère en personne…

Pour bien marquer sa désapprobation autant que pour se donner la force de poursuivre, il avala une large rasade de bière. Puis, dévisageant ses frères l'un après l'autre, il éclata d'un rire grinçant et s'exclama :

— Parfaitement ! Sarah MacKade elle-même… Elles ont cuisiné du poulet toutes les deux en papotant, la veille de la bataille mais à plusieurs décennies d'intervalle. Je les ai laissées entre elles… J'ai préféré m'éclipser plutôt que d'être mêlé contre mon gré à cette folie.

— Elle allait bien ? demanda Rafe avec inquiétude.

— A ton avis ! protesta Shane avec véhémence. Est-ce que je serais là à te parler si ce n'était pas le cas ?

Reprenant sa déambulation à travers la pièce, Shane passa une main dans ses cheveux. Sans y parvenir, il s'efforçait d'évacuer de sa mémoire le souvenir de Rebecca, allongée inconsciente sur le carrelage de la cuisine.

— Elle m'a fichu la peur de ma vie, gémit-il. Puis elle a retrouvé ses esprits comme si de rien n'était. Je n'ai jamais vu personne récupérer à une telle vitesse… Quand je l'ai laissée, elle se portait comme un charme.

Abattu, il alla se rasseoir, balançant machinalement sa cannette vide à bout de bras.

— Qu'elle se débrouille ! décréta-t-il amèrement. Je ne me laisserai pas avoir par elle…

Plein de sympathie, Rafe se leva pour prendre une bière sur le bureau.

— Frérot, dit-il doucement en la tendant à Shane. Si tu veux mon avis il est trop tard… elle t'a déjà eu.

— Tu crois ?

Rafe hocha gravement la tête.

— Combien de fois par jour penses-tu à elle ?

Décidant que prendre une bonne cuite n'était peut-être pas après tout une si mauvaise idée, Shane décapsula sa cannette et en vida la moitié.

— Je ne sais pas, avoua-t-il. Je ne compte plus.

D'un air innocent, Rafe étudia ses ongles quelques instants, avant de conclure :

— Ce n'est peut-être pas si grave. Après tout, entre vous, ce n'est qu'une affaire de sexe…

Shane jaillit de sa chaise, les poings serrés.

— Retire ça tout de suite ! hurla-t-il. Nous ne sommes pas des animaux.

Un large sourire réjoui étirait les lèvres de Rafe.

— Voilà qui fait plaisir à entendre… De combien d'autres femmes as-tu eu envie depuis qu'elle est là ?

Shane se laissa retomber pesamment sur sa chaise.

— Aucune, fit-il piteusement. Mais là n'est pas le problème. Le problème est… Je ne sais plus où j'en suis.

— Le problème est que tu as fini par trouver chaussure à ton pied, compléta Devin. Bienvenu au club !

— Le problème est aussi qu'il va falloir te montrer habile pour la convaincre de t'épouser, renchérit Jared.

Shane faillit s'étrangler de surprise.

— Tu es fou ! protesta-t-il entre deux hoquets. Je ne vais épouser personne…

Il dévisagea ses trois frères comme pour s'en convaincre.

— Tu paries ? demanda simplement Rafe.

Parce qu'il était très pâle et manifestement défait, Devin eut pitié de lui.

— Prends donc une autre bière, conseilla-t-il. Après, tu pourras t'écrouler sur le lit de camp, dans la réserve.

Jamais suggestion n'avait paru plus sensée aux oreilles de Shane.

Rebecca ne dormit pas, ne tenta même pas de le faire. Ce n'était pas seulement parce que Shane n'était pas là, ou à cause de la maison qui semblait d'heure en heure prendre vie autour d'elle. C'était aussi pour atteindre l'aube sans avoir raté une seule minute de la nuit la plus longue qu'elle eût jamais connue.

Parce que cela lui avait toujours permis de surmonter les crises qu'elle avait traversées, grandes ou petites, elle travailla sans relâche. Le fait d'avoir à préparer ses bagages, de ranger systématiquement ses affaires dans ses sacs de voyage, était pour elle une preuve qu'elle était prête à partir. S'il lui restait une inquiétude, c'était d'avoir à le faire en restant en mauvais termes avec Shane. Cela, elle n'en voulait pour rien au monde. Lorsqu'il serait de retour elle s'arrangerait pour mettre les choses au clair avec lui, de manière à ce qu'ils puissent se quitter bons amis. Mais les heures passèrent, et à l'aube Shane n'avait toujours pas reparu.

Lorsque le soleil eut tenté une timide percée au-dessus de l'horizon, sans parvenir à dissiper la brume matinale, Rebecca se décida à sortir. N'importe qui, lui semblait-il, aurait pu ressentir comme elle à cet instant le cocktail d'émotions prenantes qui lui serrait la gorge : un mélange de peur, d'appréhension, de rage et de tristesse.

Il ne fallait pas beaucoup d'imagination pour voir les hommes en uniforme, baïonnette au canon, déchirer en marchant les voiles de brume qui se reformaient aussitôt derrière eux. Il ne fallait guère tendre l'oreille pour percevoir le bruit des bottes martelant la terre, ou ces premiers coups de canon, ces premiers cris, juste avant l'enfer…

— Qu'est-ce que tu fais là ? lança une voix devant elle.

Rebecca sursauta, scruta la brume, les yeux écarquillés,

avant de voir avec soulagement Shane en émerger. Très pâle, les yeux cernés, il paraissait en outre suffisamment tendu pour la dissuader de se jeter dans ses bras.

— Je ne… je ne t'ai pas entendu arriver, balbutia-t-elle.

— La brume masque les sons.

Avec un sentiment de culpabilité, Shane comprit en découvrant son visage pâle aux traits tirés et aux yeux agrandis par la fatigue qu'elle n'avait pas dû fermer l'œil de la nuit.

— Tu grelottes, grogna-t-il. Tu es pieds nus… Rentre donc te coucher !

— Tu as l'air épuisé.

— J'ai la gueule de bois. Ça nous arrive, à nous autres humains, quand nous buvons trop. Tu ne me demandes pas où j'ai passé la nuit, avec qui ?

Rebecca éleva une main jusqu'à sa poitrine, la posa doucement sur son cœur.

— Serais-tu en train d'essayer de me faire de la peine ?

— Peut-être. Juste pour voir si c'est possible…

Rebecca hocha la tête et se retourna pour se diriger vers la maison.

— Sois content, lança-t-elle par-dessus son épaule. Ça l'est !

— Rebecca !

Mais déjà, elle avait refermé la porte derrière elle, le laissant se débattre avec la désagréable impression d'être un insecte nuisible ayant rampé de sous une roche, pour venir la piquer…

Maudissant les femmes en général et celle-ci en particulier, Shane plongea les mains au fond de ses poches et se traîna tant bien que mal jusqu'à l'étable, pour la première traite de la journée.

Pour ne pas risquer de croiser de nouveaux sa route, Rebecca demeura cloîtrée dans sa chambre. Ainsi, songeait-elle en s'efforçant de boucler ses bagages, il leur faudrait se quitter sans s'être réconciliés… Mais peut-être était-ce mieux ainsi.

Depuis sa fenêtre, elle le vit vaquer à ses occupations du matin. Il lui sembla qu'il ne travaillait pas beaucoup. Sans doute se contentait-il comme elle de tuer le temps, jusqu'à ce qu'elle ait débarrassé le plancher. Il lui faudrait encore se montrer patient… Elle n'était pas décidée à partir avant la fin du jour.

— Sarah, où es-tu ? murmura-t-elle en arpentant la pièce dans laquelle elle commençait à se sentir comme dans une cellule. Tu as voulu que je vienne ici. Je sais que tu l'as voulu. Qu'attends-tu de moi ?

Sous le coup d'une brusque inspiration, Rebecca se décida à descendre l'escalier pour regagner la cuisine. Avant même d'avoir passé le seuil, elle comprit que quelque chose d'extraordinaire était sur le point de se produire. De nouveau, l'air était chargé d'électricité, et la puissance du courant qui circulait de pièce en pièce la cueillit de plein fouet.

Prise de faiblesse, elle dut s'appuyer contre le mur, tandis que la porte de service s'ouvrait à la volée. C'était Shane. Ce ne pouvait être que lui… Elle reconnaissait son visage, sa stature, et même son odeur. Pourtant, il lui sembla discerner sur le pas de la porte un autre homme, plus âgé, portant dans ses bras le corps inconscient d'un tout jeune homme ensanglanté.

— *Mon Dieu ! Oh ! mon Dieu, John ! Est-ce qu'il est mort ?*

— *Pas encore.*

— *Pose-le sur la table. Je vais chercher des serviettes. Tout ce sang ! Mon Dieu, tout ce sang ! Il est si jeune. C'est presque un enfant.*

— *Comme Johnny.*

— *Oui, comme Johnny...*

L'uniforme bleu des Yankees était en loques, boueux et détrempé de sang. Seul le galon tout neuf de caporal qu'il portait à l'épaule brillait encore. Tandis qu'elle le déshabillait précautionneusement pour mettre à jour l'horreur de sa blessure au ventre, Sarah vit une feuille froissée dépasser d'une de ses poches et s'en empara.

Comme si elle y avait assisté personnellement, Rebecca vit toute la scène se dérouler sous ses yeux. Le sang, partout. Le soldat évanoui, allongé de tout son long, à moitié nu, sur la grande table en chêne. Et cette lettre, que Sarah parcourait du regard. Cette simple feuille de papier, aux plis crasseux et fortement marqués d'avoir été trop souvent pliés et dépliés.

Soudain, comme par un effet de loupe, tout le reste s'estompa et l'en-tête de la missive sembla sauter aux yeux de Rebecca.

Cher Cameron...

Pour ne pas tituber sous l'effet de la surprise, Rebecca ferma les yeux et se retint fermement au chambranle de la porte.

— Ils n'ont rien pu faire pour le sauver, dit Shane d'une voix sourde à côté d'elle. Pourtant, ils ont tout essayé.

Après avoir d'un coup expiré l'air qu'elle retenait

dans ses poumons, Rebecca ouvrit les yeux et hocha la tête. Dans la pièce, éclairée par la lumière rasante du soleil matinal, tout semblait avoir repris son aspect coutumier.

— Oui, reprit-elle. Ils ont essayé de soigner ses blessures tout le reste du jour, puis toute la nuit.

— Mais à l'aube, ils l'ont perdu. Et ce fut pour eux comme s'ils perdaient leur fils une seconde fois.

— L'essentiel est qu'il ne soit pas mort seul, comme une bête abandonnée. Ils lui ont parlé, l'ont réconforté, l'ont encouragé. Ils ont fait la seule chose digne et humaine qu'il y avait à faire.

— Pourtant, reprit Shane sur un ton très dur, ils l'ont enterré comme un chien, sans marquer l'emplacement de sa tombe, en terre non consacrée…

— Ne comprends-tu pas combien Sarah avait peur ? protesta Rebecca, tandis que de grosses larmes roulaient sur ses joues. Peur pour son mari, pour sa famille… Rien n'avait plus d'importance à ses yeux. Si les Yankees avaient appris qu'un des leurs était mort chez ces sympathisants sudistes notoires, John aurait couru les plus graves dangers. C'est elle qui l'a supplié de creuser la tombe de nuit, afin que personne ne sache jamais où ils l'avaient enterré.

— Et avec lui, compléta Shane, ils ont enterré la lettre, le seul élément qui aurait pu permettre de l'identifier…

— Il n'y avait pas d'enveloppe, Shane, pas d'adresse… Aucun élément pour leur indiquer d'où elle avait été envoyée, et qui attendait le retour de ce soldat dans ses foyers.

Posant sa main sur l'avant-bras de Shane comme pour

réclamer sa confiance, Rebecca chercha son regard et murmura :

— J'ai vu cette lettre. Je l'ai vue dans les mains de Sarah. J'ai juste eu le temps de lire l'en-tête : *Cher Cameron…*

A ces mots, les yeux de Shane s'assombrirent et sur son visage passa une expression rêveuse.

— C'est mon deuxième prénom, dit-il sans la quitter des yeux. Cameron était le nom de mon grand-père. Cameron James MacKade, le deuxième fils de John et Sarah, né six mois après la bataille d'Antietam. Le nom se perpétue dans la famille depuis lors. Chaque dernier-né de chaque génération le porte.

Rebecca écarquilla les yeux, émerveillée.

— Cameron, murmura-t-elle. Ils ont donné à leur enfant le nom du soldat qu'ils n'avaient pas pu sauver. Cela veut dire qu'ils ont tenu à perpétuer son souvenir, Shane.

— Et pourtant, ils l'ont condamné à ne pas trouver le repos, en ne lui accordant pas de sépulture digne de ce nom.

— Tu ne dois pas leur en vouloir, protesta Rebecca. Ils ont fait au mieux, dans des circonstances qui pour eux n'étaient pas faciles.

— Je ne leur en veux pas…

Soudain très pâle, Shane passa une main lasse sur son visage.

— Mais c'est ma vie, reprit-il, ma terre… Je ne peux rien changer à ce qui s'est passé, et je suis fatigué d'être hanté par tout cela.

Pleine de sollicitude, Rebecca tendit le bras pour lui prendre la main.

— Sais-tu où il est enterré ?

— Non, grogna-t-il en détournant les yeux. Je n'ai jamais cherché à le savoir. J'ai toujours préféré... éviter d'y penser.

Rebecca sentit la main de Shane tressaillir.

— Aujourd'hui, reprit-il, je l'ai vu. Et ce n'était pas la première fois, même si j'ai tout fait depuis l'enfance pour chercher à l'oublier... Comme chaque fois, il était effondré contre le vieux mur de la grange, ensanglanté et terrorisé, déjà pâle comme un mort. Et comme je me sentais happé par un sentiment poignant de désespoir et de solitude, il a levé les yeux vers moi et m'a supplié de l'aider...

Sans raison apparente, ces mots éveillèrent dans la mémoire de Rebecca le souvenir d'une promenade bucolique, dans une mer de fleurs sauvages écrasée de soleil. *Qu'aurions-nous pu faire d'autre ? Qu'y avait-il d'autre à faire ?* Elle s'en souvenait, ces mots venus de nulle part, échos lointains d'interrogations angoissées, avaient troublé la quiétude de l'instant. A présent, elle en comprenait le sens.

— Suis-moi, murmura-t-elle en l'entraînant par la main. Je sais où il est enterré.

Main dans la main, ils marchèrent en silence jusqu'à la prairie qui s'étendait derrière la maison. L'air embaumait des odeurs du matin. Dans le lointain, les montagnes colorées semblaient peintes sur le ciel. Sous leurs pieds, l'herbe grasse était pleine de rosée. Lorsque les larmes recommencèrent à couler sur son visage, Rebecca sut qu'ils étaient arrivés. Pendant un long moment, saisis par une trop grande émotion, ils furent l'un et l'autre incapables de parler. Emplie d'un sentiment de soulagement et de reconnaissance, Rebecca contemplait en souriant ce carré de terre où la peur lui avait fait abandonner, des semaines auparavant, le premier bouquet de fleurs qu'elle eût jamais cueilli.

— Shane ? dit-elle enfin. Tu dois accepter ce qui s'est passé. Tes ancêtres ont fait de leur mieux, dans une époque qui n'était pas simple pour eux. Pendant qu'à deux pas d'ici Charles Barlow assassinait un autre soldat blessé à cause de la couleur de son uniforme, John et Sarah MacKade ont pris le risque d'obéir aux élans de leur cœur, sans tenir compte du fait que Cameron n'était pas de leur bord.

Sans lui répondre, Shane leva le bras pour lui encercler les épaules. Frileusement, Rebecca se blottit contre lui et poursuivit :

— De nos champs de bataille, nous faisons des parcs et des musées, afin que les jeunes générations se souviennent. Le souvenir est tout ce qui reste des morts sur cette terre… A cet endroit, il faut que Cameron ait lui aussi une pierre, pour s'ancrer dans nos mémoires et trouver le repos. S'ils l'avaient pu, je suis sûre que John et Sarah y auraient veillé.

Cela pouvait-il donc être aussi simple ? se demanda Shane. Suffisait-il d'un peu de bon sens et d'humanité pour réparer une injustice aussi profondément ancrée dans le passé ?

— Très bien, répondit-il en s'efforçant de faire taire ses doutes. Nous lui en donnerons une. Peut-être cela suffira-t-il à ramener la paix sur la terre des MacKade.

— Il y a ici bien plus d'amour que de haine, murmura

Rebecca. Et tout ce que porte cette terre est à toi, est inscrit en toi. Tu devrais être fier de ce que tu es, de ce que tu as… Tu es un homme bon, Shane. Je ne t'oublierai pas.

Avant que Shane ait pu réaliser ce qu'elle était en train de faire, Rebecca avait rompu leur étreinte et rebroussé chemin pour regagner la maison.

— Mais, protesta-t-il d'une voix étranglée. Mais qu'est-ce que tu fabriques ? Où vas-tu comme cela ?

Comme à regret, Rebecca se retourna et lui adressa un pauvre sourire noyé de larmes, qu'elle tenta vainement d'essuyer du plat de la main.

— Je pensais, expliqua-t-elle, que tu aurais aimé rester un peu seul ici. Il me semble que c'est un moment très intime, très personnel. Et j'ai encore pas mal de choses à ranger avant de pouvoir déménager mes affaires.

Refusant de comprendre, Shane se contentait de secouer la tête en la considérant à distance d'un œil interloqué.

— Quelles affaires ?

— Mon matériel. A présent que cette histoire est réglée, je vais aller habiter quelques jours chez Regan et Rafe, avant de rentrer à New York. Depuis que je suis arrivée, je n'ai pas pu passer avec eux autant de temps que je l'aurais souhaité.

Elle aurait pu tout aussi bien l'assommer à coups de marteau sans lui faire plus d'effet… Le bref soulagement que Shane avait ressenti en acceptant de faire face au passé était totalement balayé par la panique qui déferlait en lui à l'idée de la perdre.

— Tu t'en vas ? lança-t-il, sentant la colère monter

en lui. Juste comme ça ! L'expérience est finie, adieu et merci pour tout…

Sur le visage de Rebecca passa une grimace dont Shane ne put déterminer si elle exprimait le soulagement ou le regret.

— Je suis déjà restée plus longtemps que je n'en avais l'intention. Je me disais que tu serais content de retrouver ton intimité. Je te suis très reconnaissante de nous avoir supportés, moi, mon matériel et mes lubies…

Bouche bée, Shane la regarda se retourner et s'éloigner d'un bon pas. Ainsi, elle lui était reconnaissante… Ainsi, tout ceci n'avait été pour elle qu'une expérience, scientifique et amoureuse, qui venait de prendre fin et dont elle se retirait pour voguer vers d'autres aventures…

Très bien ! songea-t-il, blessé dans son amour-propre et plein de ressentiment. Au fond, cela rendrait les choses plus faciles. Elle ne voulait pas de complications ? Il n'en voulait pas non plus. Ils ne s'étaient rien promis, ne s'étaient pas fait de serments. Ils ne se devaient rien. Ils étaient libres, l'un et l'autre. Libres comme l'air.

Et tant pis s'il était malheureux comme une pierre !

Rebecca avait atteint la porte de service de la cuisine et s'apprêtait à rentrer lorsque Shane lui tomba dessus comme une tornade prête à tout emporter. Après l'avoir saisie violemment aux épaules, il la retourna pour la plaquer contre le mur de toute la masse de son corps dressé contre le sien. Dans ses yeux brillant de colère, elle devinait une terrible menace dont sa voix basse et grondante se faisait l'écho.

— Ainsi, murmura-t-il, ce n'était rien qu'une histoire de sexe. Pas vrai, doc ? Rien qu'une intéressante expérience scientifique et sexuelle pleine d'enseignements…

J'espère au moins que je t'ai fourni assez de matériel pour tes conférences à venir…

— Shane, gémit-elle. Qu'est-ce que tu…

— Sinon, reprit-il sans l'écouter, il n'est pas trop tard pour compléter ta documentation. Une dernière petite expérience pour la route ?

Sans aucun effort, il la souleva de terre et plaqua violemment sa bouche sur la sienne. C'était un baiser brutal et féroce, comme il ne lui en avait jamais donné. Pour la première fois, Rebecca eut peur de cet homme qu'elle croyait pourtant connaître, dont elle pensait avoir cerné la personnalité.

— Shane ! parvint-elle à s'écrier lorsqu'il consentit à libérer ses lèvres. Lâche-moi, tu me fais mal !

— Tant mieux !

Pourtant, il lui donna satisfaction avec une telle soudaineté que Rebecca, déséquilibrée, faillit tomber.

— Comment peux-tu me faire ça ? gronda-t-il, en prenant soin de garder ses distances avec elle. Comment peux-tu avoir partagé avec moi tout ce que nous avons partagé et me tourner le dos ainsi, comme si tout cela n'avait été pour toi qu'un passe-temps ?

— Mais… je, balbutia Rebecca. Je pensais que les choses devaient se passer ainsi. J'ai entendu dire que les femmes avec qui tu…

— Ne me jette pas encore mon passé à la figure ! s'emporta-t-il. Tout est sens dessus dessous dans ma vie depuis que tu y as débarqué. Je veux que tu t'en ailles ! Tout de suite !

La tête basse, les épaules tombantes, Rebecca se retourna vers la porte.

— C'est ce que je m'apprêtais à faire.

Mais avant qu'elle ait pu poser la main sur la poignée, Shane s'écria dans son dos :

— Pour l'amour de Dieu, Rebecca, ne t'en va pas !

Stupéfaite, elle lui lança par-dessus son épaule un regard inquiet.

— Shane, gémit-elle. Je ne te comprends pas.

Comme un fauve nerveux prêt à bondir sur sa proie, Shane se mit à arpenter le porche de long en large, sans la quitter des yeux.

— Tu veux que je m'abaisse à te supplier ? s'exclama-t-il. Très bien ! Je t'en supplie, Rebecca, ne pars pas… Je ne pense pas pouvoir vivre sans toi. Qu'y a-t-il de si intéressant à New York ? Des musées ? Des restaurants ? Va chercher ton manteau, je t'emmène au restaurant…

— Mais je… je n'ai pas faim.

— Tu vois ? Tu n'as pas besoin de restaurant !

Shane avait conscience de s'exprimer comme un dément mais il s'en moquait, puisque de toute façon elle le rendait fou…

— En plus, reprit-il, tu as cet ordinateur, ce modem et tous ces trucs qui te permettent de travailler n'importe où. Alors pourquoi pas ici ?

Rebecca n'était guère habituée à devoir faire face à un tel déchaînement verbal et émotionnel. Pour ne pas sombrer, elle s'accrocha comme à une bouée aux derniers mots qu'il venait de prononcer.

— Tu veux que je travaille chez toi ? demanda-t-elle, ébahie.

— Bien sûr ! répondit-il en haussant les épaules. Où est le problème ? Tu pourras laisser ton équipement partout dans la maison, je m'en fiche. Plante une antenne satellite sur le toit si ça te chante, construis une pile atomique dans le salon s'il le faut, mais par pitié ne pars pas !

L'ébauche d'un sourire apparut sur les lèvres de Rebecca. Malgré ses études et ses brillants diplômes, les relations humaines n'étaient sans doute pas son fort. Mais elle commençait à comprendre ce qui se passait ici et son cœur battait plus fort, plus vite…

— Tu veux que je reste ici ? dit-elle en détachant soigneusement chaque syllabe.

— Comment faut-il te le dire ? N'est-ce pas ce que je viens d'exprimer à l'instant ? Je n'en reviens pas moi-même d'avoir pu le faire et pourtant je l'ai fait… Je ne supporterai pas de devoir te perdre. Je n'ai jamais ressenti cela pour personne avant toi. Cela s'est fait presque malgré moi, mais maintenant tu m'occupes constamment le cœur et l'esprit. Je t'en supplie, reste avec moi…

Sans trop savoir ce qu'elle allait lui répondre, Rebecca ouvrait la bouche pour parler quand l'expression de pure adoration qu'elle découvrit sur le visage de Shane l'en empêcha.

— Je t'aime, Rebecca ! lança-t-il avec passion. Oh ! Seigneur, comme je t'aime…

Sentant ses jambes se dérober sous lui, Shane s'appuya en hâte contre la rambarde pour ne pas tomber. Pour tenter d'apaiser le feu qui le dévorait de l'intérieur, il couvrit son visage de ses mains et s'efforça de respirer profondément. A présent, songeait-il avec une étonnante sérénité, les dés étaient jetés et tout retour en arrière interdit. S'il s'était rendu ridicule et si Rebecca lui riait au nez, il tâcherait d'y survivre et de reprendre sa petite existence au point où il l'avait laissée.

Mais lorsqu'il retira ses mains et leva les yeux vers elle, il vit que Rebecca était en larmes.

— Oh ! pardon ! Pardon ! s'écria-t-il en se précipitant vers elle. Je n'avais pas le droit de te traiter ainsi. Je t'en prie, ne pleure pas…

Après avoir tenté sans succès de reprendre son souffle, Rebecca s'effondra contre sa poitrine et ses larmes coulèrent de plus belle.

— Jamais, dit-elle dans un souffle. De ma vie entière, jamais personne ne m'a dit ces mots-là. Pas une seule fois, depuis que je suis née. Alors les entendre en plus dans ta bouche…

Tout en berçant doucement Rebecca contre lui, Shane lui caressait les cheveux et se sentait à son tour gagné par l'émotion. A cet instant, il aurait volontiers giflé tous ceux qui autour d'elle — à commencer par lui — ne lui avaient jamais suffisamment prêté attention pour trouver les mots justes.

— Ne me dis pas qu'il est trop tard pour que je te les dise…, murmura-t-il à son oreille.

Avec un soupir, Rebecca se blottit plus tendrement contre lui, nicha son visage dans son cou.

— J'avais peur, avoua-t-elle. J'avais peur de te dire combien je t'aime. Je pensais… que tu ne voulais surtout pas entendre cela.

Il fallut à Shane un long moment pour retrouver l'usage de la parole, pour laisser descendre en lui le miel de ces mots, et déposer sur son cœur endolori un baume réparateur.

— Je t'aime, répéta-t-il enfin, comme un gamin émerveillé découvrant un mot nouveau. Je ne désire que toi, n'ai besoin que de toi. Tu ne t'en vas plus, n'est-ce pas ? Dis-moi que tu ne t'en vas pas...

Alors qu'il l'emprisonnait fermement, pour plus de sûreté, dans l'étau de ses bras, Rebecca se mit à rire avec insouciance et secoua longuement la tête. Au comble de l'excitation, Shane la souleva de terre et commença à tourner lentement sur lui-même.

— J'ai d'autres nouvelles pour toi, s'enthousiasma-t-il. Tout d'abord, tu vas m'épouser... Veux-tu m'épouser, Rebecca ? Tu as intérêt à dire oui, parce que je suis bien décidé à ne pas te lâcher jusqu'à ce que tu l'aies fait !

Rebecca ferma les yeux. La tête commençait à lui tourner, et la ronde enivrante dans laquelle il l'entraînait n'en était pas la seule cause. Mariage... Famille... Enfants... Shane... Les mots planaient dans son esprit, mais ce qu'ils recouvraient semblait constamment échapper à sa compréhension.

— Arrête ! protesta-t-elle faiblement. Arrête de tourner, je n'arrive plus à penser...

— Formidable ! approuva Shane en accélérant encore l'allure. Dis-le-moi, Rebecca ! Dis que tu veux être ma femme, mettre au monde nos enfants, partager ma vie... Dis-moi simplement : Oui...

— Oui !

Le mot avait jailli des lèvres de Rebecca avec une force et une conviction qui la surprirent elle-même. La suite lui fut encore plus facile et douce à prononcer.

— Oui, Shane, je veux t'épouser...

— Parfait ! jubila-t-il sans cesser d'accélérer le mouvement. A présent, dit : Je t'aime et je ne peux pas vivre sans toi !

Comme une petite fille insouciante entraînée par

un manège, Rebecca rejeta la tête en arrière et se mit à rire gaiement.

— Oui ! Je t'aime et je ne peux pas vivre sans toi !

— Magnifique… A présent, répète après moi : je cuisinerai pour toi nuit et jour…

— Oui, je…

Rebecca ouvrit des yeux ronds tandis que Shane, hilare, la reposait enfin sur le sol.

— Bien joué, joli cœur… Mais c'est raté !

— Tant pis, Becky, ça valait le coup d'essayer…

Et c'est ainsi que le moment le plus tendre, le plus précieux, le plus émouvant de toute leur existence s'acheva — dans un éclat de rire partagé et libérateur.

Epilogue

Pour résister à la réverbération de la lumière, Rebecca devait cligner des yeux. Depuis des jours, un manteau de neige uniforme recouvrait la campagne aux environs d'Antietam, donnant au paysage une pureté virginale qui convenait à la saison autant qu'à son humeur.

Elle eut un frisson de bonheur anticipé. Dans quelques minutes, toute la famille serait réunie autour d'eux. A tous les MacKade rassemblés pour honorer la mémoire d'un soldat mort des décennies auparavant, elle pourrait annoncer la grande nouvelle. Ici même, autour de cette simple stèle de pierre grise, pailletée de mica, au beau milieu de cette prairie vide et nue balayée par le vent d'hiver, mais dont elle savait qu'elle se couvrirait au printemps d'une mer de fleurs sauvages.

Avant que ne déferle sur la ferme l'ouragan de bruit et de fureur des trois autres familles MacKade, elle avait tenu à se recueillir un instant seule ici avec son mari. Ce simple mot, même après trois mois de mariage, continuait à lui remplir le cœur d'une joie sans mélange. Shane Cameron MacKade était désormais son mari… En ce jour qui était le premier d'une nouvelle année, elle connaissait le bonheur d'être aimée, d'avoir une famille nombreuse et unie. L'avenir s'ouvrait devant elle.

Tendrement, elle glissa dans la main de Shane celle

où elle portait le simple anneau d'or qu'elle avait choisi pour alliance. En silence, ils demeurèrent tous deux la tête basse et les yeux clos, unis et recueillis.

— Tu avais raison, reconnut Shane, quelques instants plus tard. L'oubli est bien la pire des malédictions pour une âme sans repos. Seule la reconnaissance qu'un homme est mort ici bien trop jeune, bien trop tôt, pouvait lui apporter la paix.

— Tu sens, s'émerveilla Rebecca, comme tout ici semble calme à présent, serein, apaisé ?

Tournant la tête vers lui, elle lui sourit et poursuivit, pleine d'enthousiasme.

— Mais ce n'est qu'un début. Je finirai bien un jour par retrouver la trace de ses descendants. Cela prendra le temps qu'il faudra, mais j'y arriverai.

— Je t'aiderai.

Shane plaça ses deux mains contre ses joues, et déposa sur ses lèvres un baiser glacé.

— Nous t'aiderons tous, ajouta-t-il. Après avoir relevé celui de l'amour, ce sera le nouveau défi des frères MacKade… Mais d'abord, tu vas me faire le plaisir d'achever ce livre que je brûle d'impatience de pouvoir lire enfin. Je veux le premier exemplaire, tout chaud sorti des presses, d'*Antietam, mythes et fantômes*, par Rebecca Knight MacKade…

— Pour toi, répondit-elle avec un clin d'œil, ce sera simplement Dr MacKade… Rassure-toi, le livre sera terminé très bientôt.

Du bout des doigts, elle effleura la pierre levée qui marquait la tombe. Sept simples lettres dorées y avaient été gravées. *Cameron*.

— Le reste, conclut-elle, nous le terminerons

ensemble. C'est ce que John et Sarah attendaient de nous, ne penses-tu pas ?

— Je peux encore les sentir, murmura Shane sans lui répondre. Dans la maison, dans les champs…

— Ils seront toujours près de nous.

Emportée par un élan de tendresse, Rebecca vint se placer dans l'abri très sûr des bras de Shane, alors qu'une soudaine bourrasque soulevait des volutes de neige autour d'eux. Tout en profitant, quelques instants encore, du bonheur de le détenir seule, elle songea que c'était le moment idéal de confier son secret à Shane. Elle leva les yeux vers lui et annonça fièrement :

— Nous allons avoir un bébé.

L'espace d'un instant, le visage de Shane se vida de toute expression. Puis un sourire radieux éclaira ses lèvres et ses yeux se mirent à briller.

— Tu es sûre ?

— Dans un peu moins de huit mois, répondit simplement Rebecca.

Le sourire de Shane s'élargit encore lorsque, prenant sa main dans les siennes, elle vint la poser contre son ventre encore plat.

— Tu te rends compte ? Nous allons avoir un bébé. Notre bébé…

Alors seulement, Shane sembla prendre toute la mesure de ce qu'elle venait de lui annoncer et Rebecca vit passer dans ses yeux tout ce qu'elle avait été sûre d'y trouver — surprise, joie, inquiétude, fierté…

— Notre bébé, répéta-t-il dans un souffle, comme s'il cherchait encore à s'en convaincre.

Ses yeux s'abaissèrent sur leurs mains unies contre ce ventre où se préparait patiemment le miracle à venir. Puis, sans crier gare, toute autre considération que l'inquiétude déserta son visage et il la dévisagea anxieusement.

— Comment te sens-tu ? Tu n'es pas malade ? Tu ne manges pas assez ! Tu vas me faire le plaisir de manger plus ! Tu es sûre que tu te sens bien ?

Pour le faire taire, Rebecca se haussa sur la pointe des pieds et déposa sur ses lèvres un baiser léger.

— Je me sens merveilleusement bien, assura-t-elle. Je me sens invincible.

Après un nouveau baiser, elle ajouta :

— Je me sens aimée…

— Rebecca !

La bouche de Shane se referma sur ses lèvres, approfondit le baiser, et ses bras qui s'attardaient autour d'elle resserrèrent leur étreinte. Puis, comme à regret, leurs lèvres se séparèrent et il lui murmura à l'oreille :

— Je t'aime…

La joue de Rebecca reposait en confiance contre son épaule. Contre lui, son corps tendre et chaud s'abandonnait en toute quiétude. Shane sentit une violente émotion sourdre en lui. Sa femme. Son enfant…

— C'est une ronde, murmura-t-il en laissant ses yeux s'attarder sur la stèle à leurs pieds. Une ronde sans fin, de saison en saison…

— Tu as raison, répondit Rebecca d'une voix bouleversée. Si c'est un garçon, j'aimerais que nous l'appelions Cameron.

Lentement, Shane hocha la tête.

— Cela me semble juste.

Dans la cour de la ferme, derrière eux, Fred et Ethel se mirent à aboyer joyeusement.

— On dirait que la famille arrive, annonça Shane en se penchant pour la soulever dans ses bras. Il me tarde de leur annoncer qu'un autre MacKade est en route pour nous rejoindre…

Avec des craquements joyeux, les bottes de Shane s'enfonçaient dans la neige verglacée tandis qu'à grandes enjambées il redescendait la pâture. Les bras noués autour de son cou, bercé par le rythme de ses pas, Rebecca se mit à rire et protesta :

— Shane ! Qu'est-ce que tu fais ? Tu ne vas tout de même pas me porter jusqu'à la maison ! Je suis encore capable de marcher, tu sais.

Shane secoua la tête d'un air buté.

— A présent que je te tiens, Rebecca MacKade, il est hors de question que je prenne le risque de te lâcher…

Dès le 1er novembre,
4 romans à découvrir dans la

Le triomphe de la passion - ***La saga des MacGregor***

De ses ancêtres écossais, Cybil Campbell a hérité l'intelligence et la fougue, mais aussi une imagination débordante. Un goût pour le romanesque qui lui est bien utile dans son travail de scénariste de bandes dessinées, mais qui, dans la vie de tous les jours, pourrait bien lui jouer des tours. En effet, ne s'est-elle pas mis en tête de percer le mystère de son nouveau voisin, un homme séduisant qu'elle prend pour un artiste maudit, pauvre et solitaire ? Une entreprise bien hasardeuse, elle va très vite s'en rendre compte, et qui pourrait bouleverser sa vie tout entière…

Le scénario truqué - ***La saga des Stanislaski***

Natasha, Mikhail, Rachel, Alexi, Frederica, Kate : tous sont membres de la famille Stanislaski. De parents ukrainiens, ils ont grandi aux Etats-Unis. Bien que très différents, ils ont en commun la générosité, le talent, et l'esprit de clan. Et pour chacun d'entre eux, va bientôt se jouer le moment le plus important de leur vie.
Alexi Stanislaski incarne, dit-on, tout ce qu'une femme attend d'un homme : la force, le charme et la sensibilité. Pourtant, sa relation avec Bess McNee ne débute pas dans la douceur… Bâti comme un boxeur et précédé d'une réputation de flic de choc, Alexi, le plus jeune des deux frères Stanislaski, ne se doute pas, en arrêtant une inconnue pour racolage sur la voie publique, qu'il vient en réalité de « coffrer » la fille de l'une des plus riches familles de Manhattan. Et il ne va pas tarder à être séduit par ce mélange détonant et sexy d'audace et de provocation, qui ne peut que charmer son tempérament de rebelle…

Dangereuse tentation

En s'installant à Orcas Island, l'agent du FBI Roman Dewinter n'a qu'un objectif en tête : démanteler un trafic dont l'île serait le carrefour. Mais quand il se retrouve face à la femme que le FBI suspecte d'être à l'origine de ce trafic, il comprend que cette mission qu'il pensait de routine est peut-être, en réalité, la plus risquée de sa carrière. Car Charity Ford, une ravissante jeune femme pleine de caractère, lui plaît tout de suite. Beaucoup trop. A tel point que lorsqu'il plonge le regard dans les splendides yeux bleus de Charity, il se prend à espérer que celle-ci est innocente.
Installé dans l'auberge pleine de charme tenue par la jeune femme, au cœur de cette île à la beauté sauvage, Roman s'apprête à livrer le plus âpre, et le plus ardent des combats…

Un été au Maryland - La soif de vivre

Rafe, Jared, Devin et Shane MacKade. Quatre frères profondément attachés à leur famille et à leur Maryland natal, cette région aussi belle en hiver qu'en été, aussi magique recouverte d'un épais manteau de neige que verdoyante sous le soleil. Farouchement indépendants, ces quatre hommes au caractère bien trempé sont décidés à ne jamais renoncer à leur liberté pour une femme. Mais une rencontre va tout changer…
Shane MacKade a beau trouver les femmes merveilleuses et ne pouvoir résister à leur charme, il est hors de question pour lui de s'engager dans une relation sérieuse. Pourtant, face à la délicieuse – et insupportable… – Rebecca Knight, que sa belle-sœur lui a demandé d'accueillir à l'aéroport, il sent tout de suite que quelque chose de très inattendu est en train de se passer…

Prochain rendez-vous le 1er février 2014

Best-Sellers n°585 • suspense

Jamais je ne t'abandonnerai - Antoinette Van Heugten

Son enfant est innocent. Elle le sait comme seule une mère peut en avoir la certitude. Pour défendre Max, elle aura tous les courages.

Que se passe-t-il ? Danielle Parkman ne reconnait plus son fils. Plus du tout. Pourtant, elle n'imagine pas un instant que la terrible maladie dont Max souffre ait pu transformer le petit garçon tendre et attentionné qu'il était en adolescent au comportement inquiétant. Certes, l'autisme est un mal étrange mais, quoiqu'en disent les médecins, elle seule connaît le cœur de son enfant. Et elle a confiance en lui.

Jusqu'au jour où Max est accusé du meurtre d'un patient hospitalisé dans le même établissement que lui. Sous le choc, Danielle est aussitôt assaillie par un terrible doute : se pourrait-il qu'elle se soit trompée ? Non, c'est impossible. Max n'a fait de mal à personne. Par chance, l'avocat Tony Sevillas, le seul qui semble la croire, fait tout pour défendre sa cause : avec lui, Danielle est prête à braver la peur et le doute pour que la vérité triomphe. Et jamais, jamais, elle n'abandonnera Max.

Best-Sellers n°586 • suspense

L'inconnu de Home Valley - Karen Harper

Une famille à chérir, un champ de lavande à cultiver, et la prière pour la guider. Ella connaît son bonheur de vivre auprès des siens, dans la paisible communauté amish de Home Valley, Ohio. Aussi est-ce avec une certaine inquiétude qu'elle voit arriver chez elle un *ausslânder*, un étranger que ses parents ont accepté d'héberger à la demande du FBI. Cible de dangereux criminels contre lesquels il va témoigner, Andrew devra vivre caché sous l'identité d'un amish jusqu'au jour du procès.

Face à cette intrusion dans son univers, Ella se sent perdue. Car si elle est prête à aider Andrew, elle pressent aussi que ce dernier représente une menace pour sa communauté. Pour sa communauté, et pour son cœur, si elle en croit le trouble qui s'empare d'elle chaque fois qu'elle pose les yeux sur lui. Une crainte qui ne fait que se confirmer, lorsque la violence fait soudain irruption dans la vallée, la contraignant à fuir en compagnie du seul homme qu'il lui est interdit d'aimer…

Best-Sellers n°587 • thriller

Le couvent des ombres - Lisa Jackson

La cathédrale de La Nouvelle-Orléans… Au pied de l'autel gît le corps sans vie d'une jeune novice vêtue d'une robe de mariée jaunie. Autour de son cou, un collier de perles écarlates…

Camille, sa petite sœur adorée, est morte. Si seulement Valerie avait pu convaincre sa cadette de quitter ce couvent austère et angoissant, Camille serait vivante aujourd'hui !

Bouleversée, révoltée par ce meurtre, Valerie Renard, une ex-policière, décide de mener sa propre enquête, parallèlement à celle de Rick Bentz et Ruben Montoya, les inspecteurs chargés de l'affaire. Car Valerie le sait : le couvent Sainte-Marguerite n'est pas la paisible retraite que tout le monde imagine, et tous ceux qui y résident, du séduisant père Frank O'Toole à la sévère mère supérieure, semblent avoir quelque chose à cacher. Camille elle-même avait une vie secrète, des zones d'ombre que Valerie ne soupçonnait pas.

Une découverte qui pourrait faire d'elle, si elle découvrait la vérité, la prochaine proie du tueur.

Best-Sellers n°588 • roman

Retour au lac des Saules - Susan Wiggs

A présent que sa fille a quitté la maison, Nina Romano s'apprête à réaliser son rêve de toujours : racheter et rouvrir l'auberge du lac des Saules. Aussi est-elle furieuse d'apprendre que le domaine vient d'être vendu à Greg Bellamy, qu'adolescente elle aimait en secret. En secret, car Greg, le fils de riches propriétaires de la région, était d'un autre monde que le sien. Inaccessible et hautain, il l'avait fait souffrir, et à présent, de retour après un divorce mouvementé, il parvenait encore à lui voler sa part de bonheur…

Pourtant, quand il lui propose de s'associer avec lui, Nina hésite, déchirée entre sa méfiance envers ce rival déloyal, et son attirance pour un Greg encore plus séduisant qu'autrefois…

Best-Sellers n°589 • roman

Le parfum du thé glacé - Emilie Richards

Alors qu'une tempête menace les rivages coralliens de la presqu'île de Happiness Key, cinq femmes vont mettre à l'épreuve leur amitié et, en chemin, découvrir l'amour.

La vie amoureuse de Tracy Deloche, ancienne jet-setteuse, traverse une sérieuse zone de turbulences… Mais heureusement pour elle, elle a le soutien complice de quatre de ses amies, qui louent les petits pavillons qu'elle possède en bord de mer. Il y a la pétulante Wanda, toujours prête à rire, qui régale tout le monde de ses pâtisseries décadentes. Mais aussi Janya, la jeune et superbe Indienne qui, malgré un mariage arrangé compliqué, rêve de devenir mère. Ainsi qu'Alice, la courageuse Alice, qui élève seule sa petite-fille bientôt adolescente. Sans oublier Maggie, l'ex-policière et discrète fille de Wanda, dont la vie sentimentale chaotique n'a rien à envier à celle de Tracy.

Et tandis qu'histoires d'amour et de famille s'enchevêtrent avec tumulte, une tempête tropicale se prépare, rabattant en rafales secrets et surprises vers les rives de Happiness Key. Pour les cinq amies, c'est l'occasion de découvrir qu'elles ont plus que jamais besoin les unes des autres…

Best-Sellers n°590 • roman

Coup de foudre à Icicle Falls - Sheila Roberts

Avec consternation, Samantha découvre que la chocolaterie familiale, installée à Icicle Falls depuis des générations, est au bord de la faillite : la gestion fantaisiste et les dépenses mirobolantes du précédent directeur ont eu raison des finances de l'entreprise à laquelle elle est passionnément attachée. Pour l'aider à redresser la situation, Samantha ne peut guère compter sur ses deux sœurs, certes aimantes mais totalement incompétentes en la matière, ni sur sa mère, incapable d'accepter la réalité. Aussi n'a-t-elle qu'un seul espoir : convaincre le directeur de la banque de la soutenir. Sauf que le directeur en question, Blake Preston, est un arrogant play-boy totalement insensible. Et bien trop beau pour se donner la peine d'aider une jeune femme comme elle…

Best-Sellers n°591 • historique

Les secrets d'une lady - Nicola Cornick

Londres, novembre 1814.

Lady Merryn Fenner mène une double vie. Aux yeux de tous, elle est une lady comme les autres, une femme délicate et raffinée qui fréquente les salons et les salles de bal. Qui pourrait croire que sous ses dehors fragiles se cache une femme bien différente qui ne craint pas de travailler en sous-main pour le détective Tom Bradshaw, un homme au passé louche ? Ce travail, elle ne l'a accepté que pour une seule raison : trouver les preuves qu'elle cherche. Douze ans plus tôt, en effet, son frère a été tué en duel par Garrick Farne, un homme qu'elle aimait en secret. Or, elle a aujourd'hui toutes les raisons de croire qu'il s'agissait en réalité d'un assassinat. Un crime qu'elle veut absolument voir puni.

Best-Sellers n°592 • historique

Le clan des MacGregor - Nora Roberts

Glenroe, Ecosse, 1745.

Dix ans se sont écoulés depuis que, par une nuit glacée, Serena a vu les soldats anglais faire irruption dans le fief des MacGregor à la recherche de Ian MacGregor, son père, injustement accusé de meurtre. Dix ans qui n'ont rien effacé de la terreur qu'elle a éprouvée alors, et de l'horrible humiliation subie par Fiona, sa mère, violée par un officier lâche et cruel. Lors de cette nuit tragique, Serena est devenue une autre : la petite fille douce et innocente qu'elle était a brusquement connu la haine et la soif de vengeance, et s'est juré de ne jamais pardonner…

Depuis dix ans, pas un Anglais n'a franchi le seuil du manoir familial. Aussi est-ce avec une hostilité farouche que, sur ordre de son père, Serena accueille Brigham Langston, le fier et impétueux comte d'Ashburn, à qui son frère aîné doit la vie. Un aristocrate anglais qu'elle considère comme son pire ennemi, mais qui va la contraindre à un impossible choix…

Composé et édité par les

éditions HARLEQUIN

Achevé d'imprimer en Italie (Milan)
par Rotolito Lombarda
en octobre 2013

Dépôt légal en novembre 2013